新装改訂版

「家業」を継いでも「事業」は継ぐな

In the footsteps of the family business, but don't take over the business.

大島伸夫
Oshima Nobuo

幻冬舎 MC

新装改訂版

「家業」を継いでも「事業」は継ぐな

はじめに

中小企業白書2022年版によると、2020年における経営者の平均年齢は62・5歳と上昇傾向にあり、2021年の休廃業・解散件数は4万4377件と、2020年、2018年に次ぐ高水準です。また、休廃業・解散企業の代表者年齢は、70代の割合が42・7％と最も高く、70代以上が全体に占める割合も、年々高まりを見せ、2021年は全体の6割超となっています。

今、事業承継の時期を迎えている中小企業の多くが創業したバブル経済期（1986年12月～1991年2月）、あるいはそれ以前の高度経済成長期（1955年頃～1973年頃）は日本がちょうど人口ボーナス期にあったこともあり、一貫して企業、特に製造業では大量生産・大量消費を前提とした経営が行われていました。しかし、現代の企業は新型コロナウイルスの感染拡大やロシアのウクライナ侵攻など想定外な出来事が次々と起こる時代への適応力が求められています。承継する側（息子や娘など）も、あるいは承継させる側（親）も、難しい舵取りを迫られているのです。

今から19年前である私が社長に就任した2004年、引き継いだ事業は創業から45年目を迎える時期であり、創業者は69歳、後継者の私は39歳でした。事業はすでに成熟期から緩やかな停滞期へと移行しているさなかであり、業績のほうも社長就任の翌年から現状維持が精いっぱいという状況に陥ります。今振り返れば、私の社長就任を一つのきっかけとして、全社が一丸となって改革を断行し、新たな事業に決然と踏み出していれば、その後の衰退を防げたのではないかと思わずにはいられません。

超高齢社会に突入し、日本経済自体が衰退途上にある今、長年営んできた家業を守っていくことの難しさは増す一方です。むしろ今だからこそただ守るのではなく、大胆に壊して建て変える（スクラップ＆ビルド）ことが必要なのです。社長就任の翌年から、世代交代による組織の変革を目指していましたが、組織の変革が成果を実らせるには２０２３年まで待たなければなりませんでした。その大きな理由は、世代交代の遅れにほかなりません。世代交代に20年近く時間を費やさなければならなかった背景には、人間中心主義の経営理念の存在がありました。また年功序列や終身雇用といった日本的雇用制度や慣行も大きな妨げとなりました。

中小企業の事業承継は大きく分類すると、親族内承継、同族外承継（従業員などの内部昇格を含む）、第三者への承継の3つです。近年は第三者へのM&Aを通じて非同族を後継者に据える中小企業の割合が徐々に高まりを見せています。同族承継が減少している大きな理由として、日本経済が成熟期に入り企業の大きな成長が見込めなくなっていることも大きな要因となっています。

私が事業を継いだ19年前もすでに社会全体が右肩上がりとはいえない状況ではありました。現在景気は、コロナ禍の状況から徐々に回復しているとの見方もされますが、少子化によりあらゆる市場が縮小傾向にある今、特に中小企業にとっての成長がさらに難しくなっていることに変わりはありません。このような状況のなかで「娘や息子に継がせられない」「継がせたくない」と考える経営者や「継ぐのは無理」「継ぎたくない」と考える後継者が増えるのは、ある意味仕方ないことかと思います。

本書では、事業承継で引き継ぐ次の3つの要素のうち、

1．経営権の承継
2．経営資源の承継
3．物的資産の承継

主に経営権の承継と経営資源の承継に絞って検証してみたいと思います。
一人の後継者が経営者として何を思い、引き継いだ会社をどのように経営し、どのような課題にぶつかって何を考えたのか。その試行錯誤のプロセスをお伝えすることで、同じ境遇にある後継者に何らかのヒントになれば幸いです。

目次

第1章

家業を継いだ後継者に迫られる選択

第2章

中小製造業における世代交代の壁

第3章

家業は継いでも事業は継ぐな

第4章

新たなビジネスモデルを構築し、第二創業を実現する

序　章

創業63年の〝下請け〟加工業

始まりは従業員3人

私が社長を務める此花紙工株式会社は、2023年で創業63年を迎えます。此花紙工は、父である大島邦夫が私の祖父の経営する大島印刷所から荷札部門を切り離して独立する形で、1960年に大阪市此花区で創業しました。当初の得意先は大島印刷所1社だけで従業員は3人、これがすべてのスタートでした。父が上梓した『小さくても強い会社を作る 本気の経営力』（大島邦夫、水王舎、2018年）に当時のことが記されています（抜粋）。

昭和35年当時はまだ宅急便がなく鉄道や郵便を使って荷物を送っていました。当時、郵便局は確か6kg以下の荷物しか受け付けてくれず、それよりも重いものは国鉄（現在のJR）が扱っていました。段ボール箱という軽くて便利なものはなく、荷物は木箱に入れて紐で縛り、3か所に荷札（受取先の住所氏名を記入）を付けなければなりませんでした。その荷札を製造する業者が、当時まだ少ないため、父の助言で、私は小さな荷札の機械を手に入れ、荷札加工の仕事を始めたのです。

荷札業として、スタートした第1期の売上が、5500万円、その5年後には、年商1億突破。その後、裏カーボン印刷や封筒の手貼り、角底袋の手貼りなどへと業容を拡大していくなかで、ターニングポイントとなったのは、昭和43年に「ダイエー（旧主婦の店）」との取引がスタートしたことです。当時、「ダイエー」は続々と新店をオープンさせており、それに伴って洋品袋（今でいうショッパー）を納入する業者を探していました。そこで、まだ洋品袋を専門に納入している会社が少なかったこともあり、当時の顧客である光印刷の津曲部長から紹介を受けて、取引が始まります。昭和43年といえば、高度成長期真っ只中で、当時続々とショッピングモールや大型スーパーが増えていったことが、本格的に製袋業へシフトするきっかけとなりました。

取引開始した頃のダイエーの出店攻勢はすさまじく、まさに破竹の勢いだったようです。ダイエーからの受注は洋品袋、日用雑貨袋、ネクタイ袋の3種類でした。中心となった洋品袋は、幅220㎜×マチ65㎜×高さ400㎜の大きさで、このサイズが此花紙工の今に至るまでの規格サイズとなっています。納入先は最初にダイエーが日本初の郊外型大型商業施設として1968年に開業させた、大阪府寝屋川市の香里店、さらに茨木市の茨木店に続き、1970年以降、門真市の大和田店や古川橋店とも年間契約を締結します。ダイエーとの取引開始の翌1969年2月には当時としては業界で最先端の機種である枚葉角底製袋機1号機を大東工場に設置しました。この第1号機は当時の最新型で、業界では大阪で2番目の導入でした。その後、1973年までに順次5台の製袋機を導入し、2022年12月末までで、此花紙工の設備は国内外に15台の製袋機を保有するに至っています。

〝下請け〟というビジネスモデルとは

1973年に第一次オイルショックが起きたのに伴い、ダイエーは納入業者の公開入札制度を導入しました。納入価格をより安くさせてコスト削減を図るのが狙いであるのは明らかでした。当時まだ従業員20人程度の弱小企業だった此花紙工にとって、入札への参加は大量生産が可能な輪転機導入に伴う巨額の設備投資を意味しており、相応の借入が発生する点を父が懸念したのは想像に難くありません。苦渋の経営判断で入札の参加をとりやめ、以後、此花紙工は〝下請け〟中心の営業に方向転換します。このときに此花紙工のビジネスモデルが確立され、今日まで至ることとなります。父はダイエーのような大手取引先の専属になってしまうと、顧客にあまりに依存し過ぎてしまうことになり、新規顧客の開拓もおろそかになるなどの弊害があるとの理由を、のちの著作で述べています。ダイエーがその後一気に躍進し、瞬く間に衰退し経営破綻してしまったことを振り返ってみると、当時の父の判断にも一理あるようにも思います。

その後の此花紙工は、大手企業に専属するのではなく、顧客を分散する営業戦略を取ります。1社あたりの受注量はわずかでも、数多くの顧客を抱えることで、顧客に隷属しなくて済む、との考えが父にはあったように思います。此花紙工の主要顧客のシェアの状況はグループ会社の株式会社コノハナが長らく約80％を占め、ほかの顧客は数％にとどまっていました。つまり、主力グループ会社以外に大きな顧客をあえてもたずに数多くの顧客を抱えることで、数万円から数十万円程度の比較的小さな仕事を積み上げていました。1社や2社からなんらかの理由で受注が途絶えても経営に大きな影響を受けることはなく、例えば顧客が倒産して負債を抱えたとしても、売上が少なければダメージは小さくて済む、というのが当時の父なりの考えだったようです。

父はダイエーとの取引の経験から大手顧客との元請けは、受注が安定する代わりに、顧客との隷属的な関係に陥る可能性を示唆し、諸刃の剣だと述べています（『中小企業経営のダイナミズム』大島邦夫、幻冬舎メディアコンサルティング、２００９年）。

あえて大手顧客との直接取引をせずに、下請け専門にとどめて顧客を分散させる営業戦略も、私にはむしろ諸刃の剣に映り、どちらが正しいのかは今となっては分かりません。あのとき、ダイエーの入札に参加して新たに輪転機を導入していれば、事業は急拡大しただろうということは容易に想像がつきます。しかし、その後のダイエーの末路を考えれば、父の下した判断はやはり正しかったのだろうと思います。とはいえ、一方でそうした判断は、中小企業としてただひたすら営業の継続のみを目指すのか、リスクを取ってでもさらなる発展を目指すのかという二つの選択肢のどちらを選ぶかであり、私には究極の二択のように思えてなりません。

此花紙工の競争力の源泉とは？

此花紙工の属している角底紙袋製造業界は、大企業がターゲットとしない小さな市場の、いわば極めてすき間産業的なニッチな業界です。角底紙袋製造業界の大手数社が日本角底紙袋工業組合（日袋工）を形成していますが、大半は例外なく輪転機を備えています。

此花紙工は角底製袋の輪転機を所有しておらず、オフセット印刷したあと、専用の製袋機で角底紙袋を製造しています。この仕事を専業で展開している会社は日本に数社しかなく事業規模も決して大きくはありません。工作機械メーカーの資料によると、全国に枚葉製袋の機械が約120〜130台あるとされています。全国で130台程度あるなかで此花紙工が13台保有していることになり、下請け専門で事業展開している企業のうちで此花紙工は最大クラスといえそうです。つまり、此花紙工の強みの一つは、競合が極めて少ないニッチな業界で有利なポジションにいることになります。

此花紙工の競争力の源泉となっているのは、枚葉製袋機13台を保有しているという、充実した設備と現場の高い技術力にほかなりませんでした。

父が社長時代に思い切った設備投資を続けることができた大きなカギは、現場の確かな技術力があったからです。オフセット印刷機などと違って製袋機には機械メーカーによる研修やマニュアルがありません。そのため製袋機を安定した状態で維持管理して稼働し続けるためには、長年社内で蓄積した知識とノウハウが必要です。ニッチな業界で日本有数の設備を有していること、設備の安定した稼働を可能にする確かな技術力、長年にわたって蓄積されたノウハウの3つが、此花紙工の競争力の源泉なのです。

こうした設備の優位性を武器に、此花紙工は価格ではなく、私たちにしか提供できない価値で勝負することを経営戦略としてきました。私が入社した1990年代前半の時期は、内職加工先を数千人抱えている時期であり、例年10月〜12月末の繁忙期には、競合他社が早々と年内の受注をストップするのを横目に、12月に入っても受注を受け付けることができました。これは、手提げ袋の紐付けは手作業であったため、紐付けする内職の担い手を此花紙工がダイエーとの取引を始めた直後から積極的に開拓していたことが功を奏したのでした。閑散期の受注はどうしても価格勝負となる傾向がありますが、繁忙期には、内職の担い手を他社よりも数多く確保できていたことは、安定した利益を確保するうえで大きな強みになりました。

下請けの御用聞き営業は絶滅危惧種？

此花紙工が属する角底紙袋を含む印刷紙業の特徴は、品質管理が極めて厳格であることです。しかし、そのことがかえって業界全体の成長を阻んでいるとすら私は感じています。例を挙げると、日本では1万枚の紙袋を納める際でも数枚の不良が混入しているだけで、納入先からのクレーム対応を余儀なくされることが多々あります。クレームを受けた際の処理の方法も、大別して2通りあって、無償で全数を引き上げて検品するか、あるいは値引きするか、いずれかの選択を余儀なくされます。

私はセールスマンだった時代から、こうした顧客からのクレームに内心憤りを感じていました。しかし、ほかの営業たちはいつも淡々と値引き交渉に応じていて、そうした姿にもまた憤りを感じざるを得ませんでした。こうしたクレーム対応の根底には、下請けビジネスモデルにおける御用聞き営業の限界が見てとれます。多くの御用聞きにとって顧客の発注担当者との良好な関係の維持は安定した受注を意味します。安定した受注を得るためには、自社の利益を多少なりとも損なうことを厭わない傾向があります。顧客満足度（担当者満足度）を高めることを優先するあまり、過度な値引きや過剰な品質、過度な仕様変更に応じるようになります。しかし私には、これは顧客満足の追求などというようなものではなく、業界における下請業者の大手顧客へのゆがんだ依存ぶりが、形になってクレーム処理に集約されているように感じられました。特に過度な（過剰な）品質管理の要求は、生産性の低下とコスト増を意味します。一方で営業の懐は痛むことはないので、こうしたクレームがなくなることはないのです。

実は数年前にも大手封筒メーカーから印刷の仕上がりの色でクレームがあり、全数検品あるいは値引きという対応を突きつけられたことが私の耳に入りました。私は自らクレームの内容を確認したうえで、当該顧客との取引自体を丁重にお断りするように指示をしました。顧客は上場企業であり、此花紙工よりも規模は圧倒的に大きい会社でした。報告を受けた内容が私にはあまりに理不尽に思えたので、これ以上の取引継続は同じことの繰り返しになる可能性が高く、自社の企業価値を毀損することにつながると判断したのです。

クレームの目的がわずかばかりの利益の確保なのか、単に下請けいじめなのかは分かりかねますが、こうしたことがまかり通ってしまうのが、業界の悪しき環境だと私には思えるのです。この一連のクレーム処理に見てとれるように、ダイエーとの取引終了からすでに30年以上たっていた当時、下請けビジネスモデルの経年劣化は明らかで、すでに同じビジネスモデルで適正な利益を確保することは困難になっていました。

しかし、謙虚に考えてみると自社の企業価値は「その程度」のものだったといえるわけです。だからこそ、下請けというビジネスモデルから脱却しなければならない、といつしか考えるに至るのです。

第1章

家業を継いだ後継者に迫られる選択

事業承継とは勝ち目のない戦いに挑むこと

中小企業白書2020年度版によると、個人形態の小規模事業者の後継者は約85%が「息子・娘」、法人形態の小規模事業者の後継者は約60%が「息子・娘」となっています。最近は親族以外を後継者に選ぶケースが増えてきているようですが、世襲による世代交代がまだまだ大勢を占めているのが現状です。

しかし、世襲を前提とした後継者選びも徐々に難しくなってきています。同調査によると、個人形態の小規模事業者における廃業理由の60%以上が後継者難で、そのうち約45%が「息子・娘がいない」「息子・娘に継ぐ意思がない」となっています。法人形態の小規模事業者の廃業理由も50%が後継者難という結果になっているのです。

高度経済成長期やバブル経済期においての製造業の経営は、継続的な設備投資によって労働生産性を向上させることで売上を伸ばせた幸福な時代でした。しかしながら現在は、これまでと同じ経営を続けていくことは危険ですらあります。後継者は先代の思いを受け継ぎながらも、事業のイノベーション（事業革新）に取り組まねばならないのです。

中小企業の創業者はカリスマであり、絶対的な存在です。多くの創業者は後継者に同じ役割を求めようとします。後継者は自らの経営を新たにスタートさせようとしても、経営者としての経験が創業者と比較して圧倒的に不足している事実を突きつけられ、自分の思うような経営をさせてもらえません。さらにはヒト、モノ、カネの問題をはじめとした経営課題にも直面し、自分の経営を前に進められず、先代や古参幹部との確執の結果、最悪の場合には倒産に追い込まれたり、廃業したりしてしまう事態にも陥りかねません。

私もそうした境遇にあった後継者の一人でした。

父は１９６０年、ハイブランドのショップなどで使われる高級な紙袋（ショッパー）製造を主力商品として事業を展開する会社を創業しました。１９９３年に私が27歳で入社したときは会社の業績は依然として右肩上がりで、父はまさにカリスマ経営者と呼ばれるにふさわしい存在だったのです。

一方で私は初めて社会に出た20代の若造でした。父がトップとして会社を率いる姿を目の当たりにして心の底から誇らしく思いましたし、ついていくために必死になって仕事を覚える日々を過ごしました。

ところが2004年、父の入院をきっかけに社長に就任した際に経営改革の必要性を意識させられるようになります。父が経営から長期離脱するのは創業以来初めてのことでした。ミーティングで父の入院を古参幹部に伝えた際の彼らの動揺ぶりを目の当たりにし、社長を交代したとはいえ、いかに創業者である父の存在が偉大か、自分が無力なのかを早々に痛感させられたのです。さらに組織の変革を目指して人材育成などをはじめとした取り組みも思うような成果を出すことができず、経営者としての苦難に直面することになりました。

家業を継いだ多くの後継者は同じように創業者のオリジナル作品である事業の継承の踏襲に限界を感じながら、自分の事業=作品を生み出す苦しみを味わっているのです。それはさながら決して勝つことのかなわない戦いに挑むようなものなのかもしれません。

先行き不透明なVUCAの時代に家業を継いだ後継者が、どのように経営の舵取りをしているのか、それは後継者一人ひとりの経営手腕や考え方によってさまざまです。

少なくとも私の経験からいえるのは、引き継いだ経営資源を大胆にスクラップ&ビルドするほどの気概がなければ、後継者としてこの時代に会社を牽引していくのは難しいということです。それほど中小製造業がおかれた現状は厳しくなっており、逆をいえば、今こそ後継者の能力が改めて試されるタイミングであるとも考えています。

家業を継ぐこと＝事業を守ることではない

家業を引き継いだあと、自らの求心力を高め、全社一丸となって新たな経営に突き進むことがいかに難しいのかを痛感している後継者は多いはずです。

そもそも家業（ファミリービジネス）とは『大辞泉』によれば「⑴その家の生計を立てるための職業。生業。多くは自営業についていう。⑵代々、その家に伝わってきた職業。

【図表1】組織形態別の小規模事業者の廃業理由

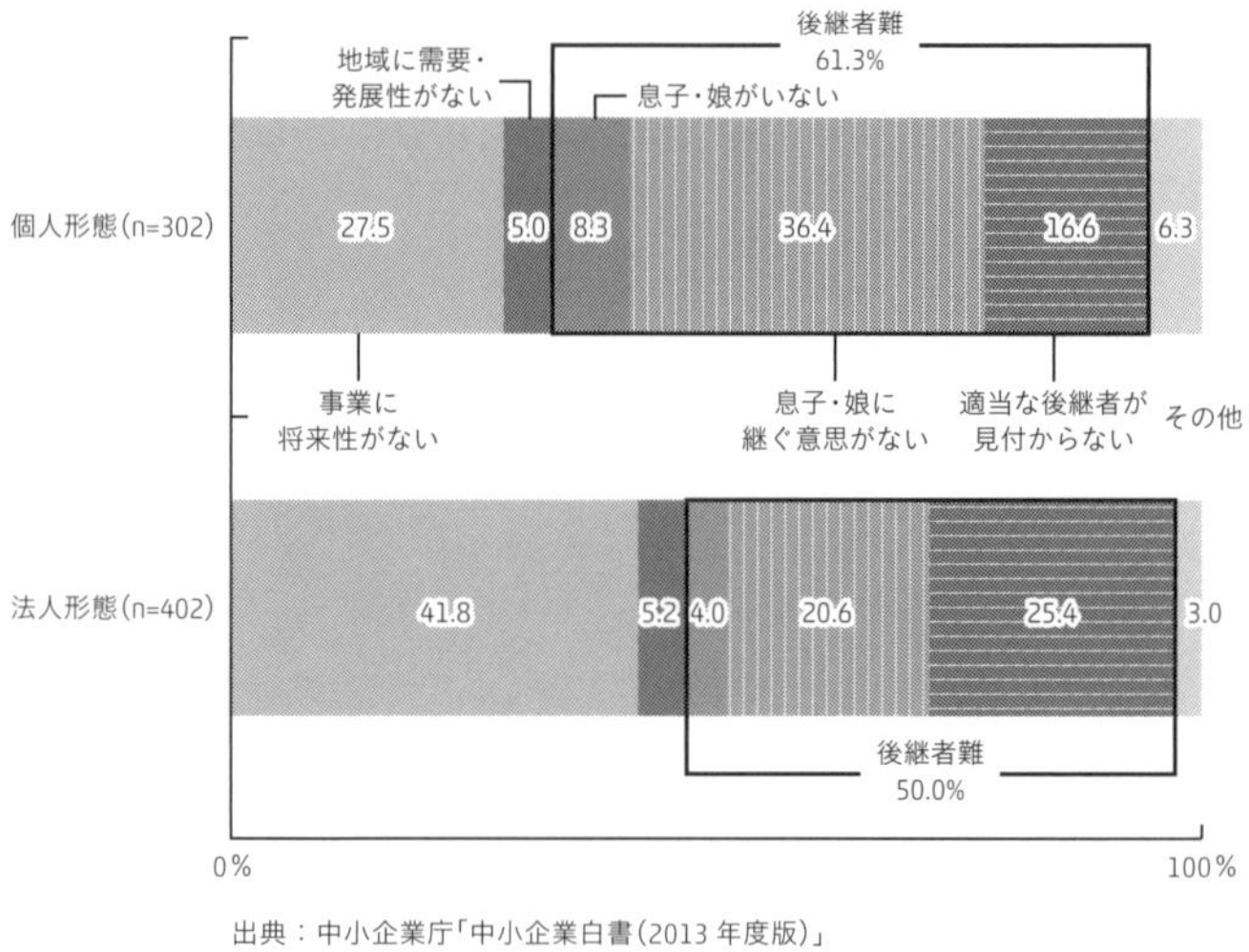

出典：中小企業庁「中小企業白書（2013 年度版）」

また、世襲的に継承していく技術や才能」のことであり、会社の規模は、個人・家族経営の零細企業から従業員300人程度までさまざまです。

一方、事業とは「⑴生産・営利などの一定の目的を持って継続的に、組織・会社・商店などを経営する仕事。⑵大きく社会に貢献するような仕事」とあります。

家業を継ぐとは親が創った会社を承継することであり、そしてその多くは企業理念や業種・業態もそのまま承継することにおいて事業を継ぐことと同義だといえます。そして引き継いだ会社を潰さず、いかに存続・発展させるかが後継者にとって最大の課題となるのです。

また、ファミリービジネスで後継者が家業を継ぎ、それを企業へと成長させていく過程でよくある問題が、経営方針を巡る親子の確執とそれによる対立です。

家具販売の有力企業の大塚家具が大手家電会社傘下となる少し前に、創業者で会長だった父親が実の娘と経営権を巡って争い、株主総会で委任状争奪戦（プロキシーファイト）まで繰り広げる出来事がありました。過去の成功体験をベースとした自分の経営にこだわる父と時代の要請に応える形で事業の革新を図ろうとする娘の戦いは、現状維持か過去の否定か、家業か企業かという二者択一が顕著に表れたケースでした。

しかし、選択肢はそれだけではないはずです。

コロナ禍後、あらゆる市場が縮小傾向にある今、事業を状況に応じてダウンサイジングしていく方向は現実的な選択肢の一つではあります。現在の状況に合う事業規模に修正を加え、細々とでも継続していければそれでいいという考え方は否定されるものではありません。経営の最大の目的を継続ととらえれば、無理をせずに身の丈に応じた経営を続けるのは一つの立派な経営判断かもしれません。

しかし、それでも成長を諦めたくないのが親の後を継いだ2代目の本音だと思います。コロナ禍後の需要減が致し方ない状況だとしても事業の成長や発展を最初から諦めて、経営をスタートさせることなどあってはならないと、若くて意欲ある経営者なら考えるはずです。

だからこそ、後継者はこの先行き不透明な時代であっても成長のために必要な経営改革を行い、発展を目指す事業へと革新しようとするはずなのです。逆説的にいえば、先代がスタートさせた事業を、勇気をもって壊すことができるのは血を分けた子ども以外には難しいのではないかとも思います。守るのではなく発展のために親の事業を壊す勇気こそが後継者に求められているのです。

過去の成功体験が通用しない時代にどう経営するか

失われた30年を経た現代の日本経済における企業経営は、オイルショックやバブル崩壊など激動といわれた時代と比較してもより複雑化しています。答えのない時代に過去の経験から学べないなかでどう経営していくかが、事業承継の時期を迎えている多くの企業が直面している問題です。

また、後継者が自分なりの考えで事業戦略を打ち立てようとしても、創業者はその考えを理解できません。ここに創業者と後継者の間に確執が生まれる原因があります。創業者は会社を設立してからの数十年にわたり会社を成長させてきた、という強大な成功体験をもっています。時代の変化を頭では理解できても、後継者の取り組みを見ていて、過去の自身の成功体験を捨て去ることがどうしてもできないのです。

こうしたことから、創業者と後継者は経営に対する考え方の違いで対立することが少なくありません。親子の場合はなおさらで、互いに経営者としての譲れない思いに加えて、親子だからこその複雑な感情が交錯するからです。

私の場合も入社当時は当然のことながら先代のことを少しでも理解しようと必死でした。ところが、社長交代以降は次第に意見がぶつかるようになっていきました。創業者がトップダウンでつくり上げてきた会社の仕組みを壊し、私が自分なりの経営を模索し始めたことを快く思っていなかったのだと思います。

自らの思い描く経営を貫き始めた後継者に対して、創業者である父が大きな戸惑いを抱いたであろうということは想像に難くありません。

そんな私に対して、父はこう言い放ちました。

「お前は本に学んで経営しているが、俺はまず行動し経験に学んできた。時代が変わっても大切にすべき経営の心構えはたくさんある。だからお前も経験から、つまりワシから学べ」

私は営業部長から父によっていきなり社長に任命されたため、いわゆる帝王学のようなものはいっさい授けられていませんでした。父にすれば私を社長に任命し、その後、伴走しながら授けるつもりだったのだろうと思います。

もちろん、父の言わんとしている意味も理解していたつもりです。何のために会社を経営するのかという理念や志の部分は、時代を超えて承継するべきものだと思いますし、オイルショックやバブル崩壊後の時代を乗り切ってきた創業者の経営手腕はもちろん称賛されるべきですから、謙虚に学ぶ姿勢は必要です。

先代である父に対して、私は読書やセミナーへの出席などを通して経営を学び、今後30年、50年を見据えた経営を模索していました。企業を取り巻く経営環境が大きく変化している今、過去の経験に学べる局面が少なくなっていることは事実だったからです。

時代が良かった、と一言で片づけるのは簡単ですが、日本経済が成長期の時代の企業経営は基本的にはある程度の回答が用意されたなかで、何をすれば事業を拡大できるのかという最適解を導き出しやすかったと思います。高度経済成長期やバブル期の思い切った設備投資などはその典型です。

一方、本格的な人口減少社会が到来した今、日本経済全体のパイが縮小するなかで事業を維持・発展させることは至難の業です。特に製造業の場合、円安や原材料高騰など課題は山積みです。後継者は、創業者が築いた事業をゼロベースで見直すぐらいの気概が求められるのが今の時代なのです。

後継者にのしかかる個人保証の問題

中小企業白書2022年版によると、2022年の企業の休廃業（解散も含む）数は4万9625件でした。統計開始の2000年以降3番目の高水準です。コロナ禍での政府や自治体、金融機関の強力な資金繰り支援、いわゆるゼロゼロ融資と呼ばれる実質無利子・無担保融資で企業の倒産件数は57年ぶりの低水準となる一方で、余力を残しながら倒産に至る前に自主的に会社を整理する企業が増えています。背景には後継者難や経営の先行き懸念もあるとされ、今後は2023年5月にこのゼロゼロ融資の利払いが開始されることによって、中小企業にとって事業の継続はますます難しくなるように思います。

コロナ禍に日本全体が見舞われた2020年から2021年、ロシアによるウクライナ侵攻が始まった2022年を例に挙げるまでもなく、現代は文字どおり1年先を予測するのも容易ではありません。そんな不安定な社会情勢のなか、自己資本比率の低い中小企業が安定した経営を続けていくためには、何より健全な財務基盤の構築が不可欠です。

経済が右肩上がりの時代の中小製造業は借金を重ねて設備を増強し、売上拡大を図るのが一般的な経営戦略でした。しかし、そのため会社を引き継いだ後継者が、そのツケを背負わされるケースが少なくありません。中小企業では経営者が個人で企業の連帯保証人となるいわゆる個人保証を金融機関から求められる場合が多く、思い切った事業展開や事業承継の妨げの要因となっています。

この個人保証の問題は、親子間のみならず、例えば内部昇格での承継の場合も事業承継を阻害する要因の一つになるのではないかと思います。後継者側からすれば借金まみれの会社を継ぐのは嫌だと思うのは当然ですし、継がせる側にしても借金まみれの会社を息子に譲って苦労させたくないと遠慮してしまいかねません。その結果、廃業を選択したり、

M&Aによる売却を決断したりする経営者も近年は増加しています。

もちろん自己資本の割合の低い多くの中小企業にとって、銀行からの借入は避けて通れないものです。中小企業が無借金経営を目指すことは銀行からの融資を受けないことであり、事業の拡大を諦めるという発想につながりかねません。それゆえに継がせる側は、事業を継承したあとに後継者が新たな投資を実行しやすいように、借金をできる限り減らしておくことも必要なのです。

私が会社の借入金の額を知ったのは、社長に就任してからでした。財務三表などの経営数字を見たときに初めて約16億円の有利子負債を抱えているのが分かったのです。

一般的に適正な借入金は月商の3~4倍までといわれており、借入限度額の目安は年商の2分の1、つまり月商の6倍が目安とされています。社長交代直後（2004年）の借入金は約16億円でした。グループ全体の売上が約36億5000万円であったことを今考えるとそれほどの額ではないといえます。しかしこれらの借入金は設備投資に充てられたものので、そこに綿密な返済計画は存在していませんでした。いわば先代の長年の勘に頼った投資だったのです。

また、当時からグループ会社内の赤字会社の存在を問題視していた私には、当時の年間売上高36億円前後に対して、借金16億円は途方もない額に思えました。幸か不幸か、借金の多寡を知らずに会社を継ぎ、あとはもう、自分の力でなんとか減らしていくしかない状況に追い込まれてしまったのです。

中小製造業の課題は下請けビジネスモデルからの脱却

日本の中小製造業は、多くの業種で大企業を頂点として、中小企業が生産工程を分担する分業構造を形成しています。そのため、多くの中小企業は大企業の下請けであることが一般的です。この下請け分業は四次、五次にまで及び、わが国のモノづくりを支えてきました。

日本独特の分業構造は、当社の属する業界も同様です。エンドユーザー（B to B取引における最終顧客）から直接仕事を請けるのは多くの場合、大手広告代理店です。そこから大手印刷会社に渡り、あるいは日本角底製袋工業組合（日袋工）を経由し、ようやく製造を行う下請け会社に仕事の発注があります。つまり三次または四次下請けにあたります。

四次下請けで仕事をする場合、もはや品質や納期に関してエンドユーザーに提案するのはほぼ不可能です。さらにエンドユーザーとの間に入る会社がそれぞれマージンを抜いていくため、確保できる利益はごくわずかです。にもかかわらずつい最近まで経済のグローバル化の加速により、コストダウンの要求は強まっている状態でした。コストダウン要求とともに利益も低下するわけですが、さらに大きな問題は回収条件です。中小下請けへの支払い条件は最大120日サイト（通常は90日サイト）の手形払いが慣例となっており、それが資金繰りを圧迫している要因となっているのです。

それでも経済が伸び盛りの時代は業界全体で仕事が潤沢に回っていたため、中小の下請けもなんとか経営を続けることができました。

しかし、市場が成熟し生産拠点の海外移転が進み、さらには円安の加速が進む今の時代、中小製造業は下請けから脱却を目指さなければ自然淘汰されてしまうのではないかと、ポストコロナのこれからの時代を前に改めて実感しています。

当社は印刷関連事業のなかの印刷物加工業あるいは角底紙袋製造業というニッチな事業に分類され、印刷業全体が受注産業という特性をもっていることから、長年ルートセールスといういわゆる御用聞きスタイルで営業活動を展開してきていました。ルートセールスといえば聞こえはいいですが、固定された得意先や同業他社からの受注を待つ姿勢、受け身の姿勢でただただ仕事がくるのを待っているだけだったのです。

そのため社長に就任した当時、真っ先に目指したのがこの御用聞き営業からの脱却です。

当時はニッチトップである自社のポジションにセールスマンがあぐらをかき、自ら積極的に社外に出て新規顧客を開拓するのではなく、一日中デスクにへばりついて見積書の作成ばかりするありさまでした。セールスの仕事＝見積書の作成というとんでもない考えがまかりとおっていたのです。百歩譲って経済が右肩上がりの時代であればそれでもよかったかもしれませんが、単に待っているだけでは以前のように仕事が向こうからやってくる時代ではすでになくなっていることを自社のセールスマンに改めて自覚させる必要があったのです。

下請け中小製造業は大企業の奴隷ではない

大手製造業のなかには、下請けを奴隷のように考えている企業もいまだに存在します。

2022年11月6日付の日本経済新聞で「中小企業の価格転嫁の遅れ」が報じられています。原材料の高騰などのコスト上昇分を販売価格にまったく反映できていない会社も約2割に及び、これらは大企業が下請けの中小企業をどう扱っているのかを端的に示しています。この大手企業による過酷なコストダウン要求が、日本のモノづくりを陰で支えてきた中小製造業を衰退させたことに疑いの余地はありません。

その結果、中小の下請け企業で働く人たちは発注先企業との関係を主従関係のようにとらえ、自社と自らをなにかと卑下する傾向すらあります。どうせ自分たちは中小だから、下請けの自分たちが、大企業である得意先に提案や意見なんてできるわけがない、そうやって必要以上に自分たちを見下してきた歴史があるように感じました。

もちろん顧客満足を追求する姿勢は重要です。しかし、仮に顧客から理不尽な要求を突きつけられた際には、時には毅然とした態度で自社の利益を守ることは必要です。町工場だから、下請けだからといって、なにも誇りや自尊心まで失う必要はありません。

下請け企業にも協力会社というさらに下請けが存在しますが、協力会社の支えがあるから顧客に安定して製品を提供できるのだと、私は従業員に伝えてきました。協力会社との関係が対等なように、顧客とも少なくとも信頼される関係を築いていきたい、そのために顧客の期待に応えることと自社の企業価値を高め適正対価を受けることで顧客とＷｉｎ－Ｗｉｎの関係を築きたい、そう考える私にとって会社にはびこる負け犬根性は我慢ならないものだったのです。

後継者にとって引き継いだ会社は、承継後に親子の間に確執があったとしても、先代である親が築いた唯一無二の大切な存在です。その会社で働く従業員と、自らが働く自社を見下すような態度を示されるのは、後継者にとってはたまらなく悔しいものです。

下請けであっても、しがない町工場であっても、我々は大企業の奴隷ではありません。長年培ってきた技術とノウハウを糧に、自社とそこで働く自らに誇りをもつ――そうした従業員の意識改革こそが、さしあたって私が目指すべき新しい企業風土に必要なのだと感じました。

この従業員の意識改革を通して新しい企業風土を打ち立てることこそ、家業を継いだ後継者が取り組まなければならない経営改革そのものなのです。

これからの時代に求められる経営者の資質

創業者の時代には意識する必要がなかった多くの課題に後継者は向き合わなければなりません。例えば２０２０年６月よりいわゆるパワハラ防止法（労働施策総合推進法）の改革が大企業で施行され、２０２２年４月から中小企業の事業主にも義務化が始まったことを受け、２０２２年１月に私は全社にゼロハラスメントを宣言し、毎年研修の受講を全社員に義務付けることを決めました。人権意識の高まり、多様性の重視など、ますます複雑化する経営環境のなかで後継者にはこの時代にふさわしい経営者としての発想やスキルが求められるのです。

特に海外ビジネスに取り組む、あるいは今後取り組もうとしている後継者の場合、グローバルな視点をもつことはもちろん、語学力、コミュニケーションスキル、ソーシャルスキルなど、さまざまな能力が必要です。

なかでも英語力とディベートのスキルは不可欠です。日本企業が近年進出を加速している東南アジア各国でも英語は必須で、かつ海外の経営者は私たち日本人以上に論理的に話をする力があるからです。

日本人の英語力は国際的に見て劣っているといわざるを得ません。アジア30の国と地域で行われた英語能力測定試験「TOEFL」の2019年の平均スコアを見ると、日本は最下位に近い26位です（「TOEFL」HPより）。これでは今後、日本企業が国際競争でおいていかれる可能性があります。海外でビジネスをしようとするなら、「TOEIC」でAランク（最高レベル）とされる860点程度のスコアはほしいところです。

1988年、私はアメリカのミネソタ州・セント・ポールのセント・トーマス大学に留学し、当時のスチューデントアドバイザー（ＳＡ）であるサラセス教授の薦めもあってＭＡ（Master of Arts）を取得しました。

大学の授業ではとにかく発言が求められました。当時、一種のブームであったＭＢＡではなくＭＡを選んだ理由は、その後のキャリア（中小企業の経営者）にＭＢＡは必要だろうか？という私の問いにＳＡであったサラセス教授が、君は少なくともインテリジェントなスピーカーになれると、ＭＡの取得を勧めたからです。ＡＩが本格的に台頭する時代に教養の重要性が見直されている今、当時のサラセス教授の言葉が間違っていなかったことを実感しています。クラスでは当時ちょうど今の中国のように日本がアメリカにとって経済面で大いなる脅威であったこともあり、日本人の代表としての意見を求められることが多々ありました。そのため、日本にいたとき以上に、日本人としてのアイデンティティーを自然と意識するようになりました。

日本人は一般的に議論が下手だといわれます。議論下手ではビジネスでの交渉も有利に運べません。ディベートスキルを磨くにはロジカルシンキング（論理的思考力）を身につけることが重要です。議論する力を磨くことはビジネス展開に大きなプラスとなるはずです。経済がグローバル化する時代に会社を継いだ以上は海外展開も視野に入れた経営者として、これらの資質を身につける努力をすることも必要です。

２００４年の社長就任後に、私は大前研一さん主宰の大前経営塾で学び、自分はなんと忙しさを理由に学びを怠っていたのかと認識しました。大前さんの「知的に怠惰な人は生き残れない」との教えを胸に刻んで日々地道な努力を積み重ねることも、経営者として必要な資質ではないかと思います。

第2章

中小製造業における世代交代の壁

後継者として経営ビジョンを従業員と共有する

変わりゆく時代のなか中小製造業が国内外を問わず生き残りを考える場合、代表的な方法には次の3つが挙げられます。

①新たな商品を開発する
②新たな市場を開拓する
③新たなビジネスモデルを創造する

多くの中小製造業は開発部門をもっていません。ゆえに、①の新たな製品の開発は中小製造業にとってハードルの高い課題となります。

しかし、②の自社の強みを活かせる新たな市場を開拓することができれば、かつての高度経済成長期の日本のように、培った技術、積み重ねた経験を活かすことはできるのです。中小製造業の新たな存在意義を見いだすカギはまさに後継者の経営手腕にかかっているといえます。

その意味でも、新たな市場の開拓を意味する海外進出は、２００４年当時の日本において多くの製造業にとって比較的ハードルの低い生き残りの方法であったようにと思います。

また中小製造業に求められるのが、③の、既存のビジネスモデルから脱却して新たなビジネスモデルを創造することです。私が目指したのは、下請けのビジネスモデルからの脱却でした。しかし、国内で元請けとなるのはすでに困難であったため、導き出した可能性が海外進出だったのです。

なぜ事業革新が必要だったのか

企業は創業から成長、そして成熟して衰退期を迎えるまで約30年といわれています。私が事業を継いだ２００４年当時、すでに創業から44年、角底紙袋製造（オフセット印刷・枚葉機）への本格的な参入から35年が過ぎようとしていたのです。30年説の示すとおり、今振り返ってみるとすでにビジネスモデルの経年劣化が進んでおり自社製品やサービスを含めたビジネスモデル全般を見直さなければならない時期にさしかかりつつありました。その頃は本格的な人口減少社会の到来前夜で、実際に２００８年の１億２８０８万人をピークに人口は減少に転じ、その後も減少し続け２０２２年には１億２５１０万人となり、14年間で約３００万人減少しました。人口減少による市場縮小に対応しながらデジタル社会に向けた経営に舵を切らなければいけなかったのです。創業から40年が過ぎ、時代に合わせたビジネスモデルを刷新すべき時期と、私が事業を継承するタイミングが一致したのは今から考えるとチャンスだったのです。

【図表2】高齢化の推移と将来推計

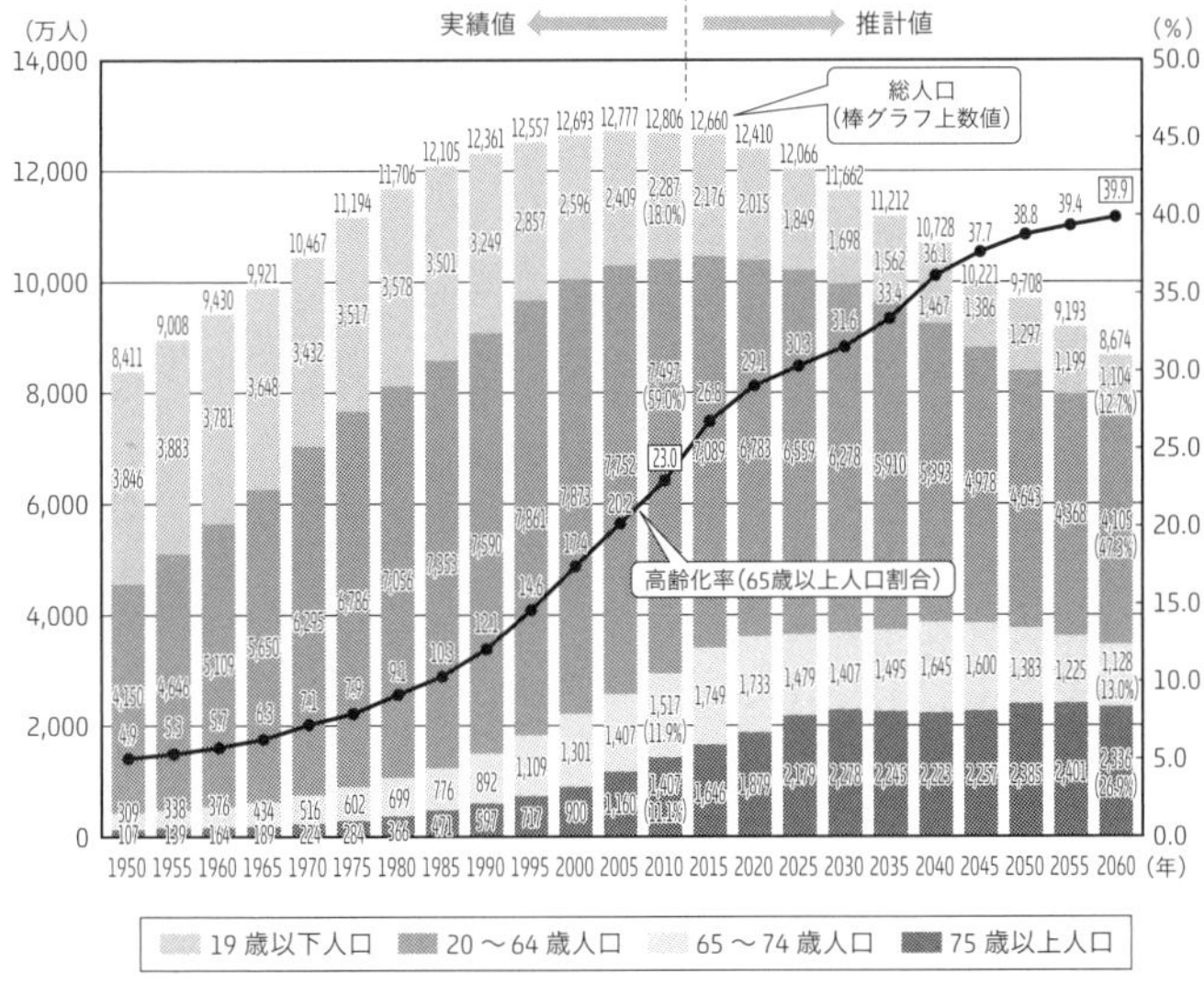

資料：2010 年までは総務省「国勢調査」、2015 年以降は国立社会保障・人口問題研究所「日本の将来推計人口（平成 24 年 1 月推計）」の出生中位・死亡中位仮定による推計結果

（注）1950 年～ 2010 年の総数は年齢不詳を含む

出典：内閣府「平成 24 年度版高齢社会白書」

事業革新の前に企業風土改革は必須

高度経済成長期とバブル経済期に成長した企業が事業を革新する際の前段階の課題は、まず組織をどうやって刷新するかが課題ということです。つまり新たなビジネスモデル構築の前段階として、年功序列や終身雇用といった仕組みや制度を変え、新しい体制を打ち立てる必要がありました。

結論からいうと、私が2010年までに取り組んだビジネスモデル刷新のための企業風土改革は多くの抵抗に遭って失敗に終わりました。

その後、私は父や古参幹部の干渉から逃れるように海外事業へ突き進むことになります。海外留学も父親からの逃避が目的の一つであったのは確かで、海外事業をスタートさせた当時はそのことを思い起こしては複雑な心境になったものです。結局、海外事業は新型コロナウイルス感染拡大で一時的に縮小せざるを得なくなり、今こうして国内事業の改革のスタート地点に再び立つことになりました。

再スタートを切るにあたり、いくつかの見えざる敵の前に失敗に終わった私の事業革新、企業風土改革を検証していきます。

名プレーヤー、名監督にあらず

プロスポーツの世界で、「名選手名監督にあらず」とよくいわれます。

これは、ビジネスの世界でも当てはまります。プレーヤーとして成果を上げていたとしても、マネジャー（管理職）として成果を出せるとは限りません。

中小企業の場合、現場で成績の良い人材が管理職になるケースが圧倒的に多いようです。しかし、現場での仕事が優秀であってもマネジャーとして優秀である保証はありません。

そもそもセールスマンとマネジャーでは要求されるスキルがまったく違います。トップセールスマンがマネジャーになったとしても、ほかに適当な人材が見当たらないなどの理由で得意先の担当を続けることになり、プレーヤー業務も継続するためマネジャーの業務がおろそかになるのです。結果的にプレイングマネジャーはいつしかプレーヤー部分の比率が上がり、部下の育成よりもプレーヤーとして売上を伸ばすことに集中するようになります。

私は、企業風土改革を進めるにあたってまずは長らく先代を支えてきた古参幹部の意識をこの点において変えようと考えました。

古参幹部とは創業間もない時期に入社し、創業者と苦楽をともにしながら会社を発展へと導いた存在です。自社のケースでも、当時グループ内の主要4社に4人の幹部が存在していました。彼らが部門長になった理由は、シンプルに現場で最も仕事ができたからにほかなりませんでした。例えば営業であればトップセールスマンが部長（マネジャー）に任命されていたわけです。大企業であれば管理職にふさわしいマネジメントができる人を選ぶことも可能でしょうが、人材の乏しい中小企業にはその選択肢はありません。

此花紙工では、古参幹部のなかでも営業のA部長はトップセールスマンとして業界中で長年名を馳せていました。しかし、私は彼がその地位に長くとどまったために、結果的には会社に大きな停滞をもたらしたと考えています。彼のようなトップセールスマンが会社を壊すことにつながるというのは実はよくある話です。

A部長はトップセールスマンとして、顧客の要望に徹底して応えるという意味では、御用聞きとして究極の存在だったといえます。しかし、とにかく仕事をとることが最優先の彼らの営業活動が、次第に製造現場を蝕んでいきます。

こうしていつしか自社は長期的な視点で営業戦略を考えず、短期的な目先の数字だけを追うような組織につくり上げられていったのです。中小企業に限らず、日本企業は安易にトップセールスマンをマネジャーに任命するケースがほとんどです。しかし、中小企業ではマネジャーが個別の案件を担当する行為は個人的には絶対に避けなければいけないと考えています。私が営業部長から社長に就任した際、担当していた得意先をすべて部下に引き継がせ、私自身は社長の仕事に専念したのは、そのためでした。

負の遺産その①

低モラルの職場で社員の抵抗に遭う

下請けビジネスモデルからの脱却を目指す私と古参幹部との間のズレは、次第に大きくなっていきました。

そこで私は20代、30代の若い社員に事業革新の担い手となってもらうべく、リスキリングの機会を提供し新製品や新しいビジネスモデルを創出するための知識やスキルを身につけてもらいたいと考えました。リスキリングとは、経済産業省によると「新しい職業に就くために、あるいは、今の職業で必要とされるスキルの大幅な変化に適応するために、必要なスキルを獲得する／させること」とあります。

ほかにもＴＱＣ（Total Quality Control）や５Ｓ活動（整理・整頓・清掃・清潔・躾の頭文字Ｓを取って５Ｓと呼ぶ）など生産性向上への意識を高めるため、現場の改善や技能検定試験など地道な努力を重ねました。しかし現場の若手・中堅社員たちからそのたびに抵抗に遭い、どの活動も満足のいく結果とはなりませんでした。その大きな要因として、かつて在籍していた従業員の多くが地元出身のいわゆる「マイルドヤンキー」と呼ばれるような人材だったからです。彼らの多くはモラルが低く、向上心に乏しく、あいさつすら満足にできず、自己中心的で利己的でした。今、考えれば教育以前の問題だったのです。彼らへの指導が困難を極めた経験が、私に大卒の第二新卒の採用を決意させることになります。

負の遺産その② 管理をしない管理職だらけの組織

此花紙工の特色はいわゆる事業部制（分社経営）を取っていることです。販売（営業）部門と製造部門および総務・経理部門を分社していたのですが、私が継いだ時点では営業と製造の双方が互いに反目し合っている状況でした。

私は相互理解を深め、管理職の仕事を再確認してもらう意味で、営業部長は生産管理部長へ、生産管理部長は営業部長へ配置転換をしました。いわゆるジョブローテーションです。すると生産管理部長となった営業部長は、「わしゃ営業や。営業しかでけへん。こんなんできるかい！」と生産管理の部下の前で声高に言い放ったと伝え聞きました。私はその場にいなかったので発言の真意は分かりかねますが、彼は生産管理へ異動してからも営業の仕事を継続していました。そもそも彼ら自身がプレーヤーの延長で仕事をしていたため、管理職の仕事のなんたるかを理解していなかったのです。営業部長はまだ担当の顧客をもっており、見積書・受注書の作成などの受注に関わる業務が一日の主たる仕事でした。グループ会社全体で管理職は総じてマネジャーではなく、プレーヤーの延長の仕事をしており、管理職の役割を果たしていないことが常態化していたのです。

だからこそ、プレーヤーとしての業務から切り離すつもりで配置転換をしたのですが、管理職として彼らはまったく機能しませんでした。皮肉なことに、入れ替わった部長が仕事をしていなくても、両部門とも業務に支障は出ませんでした。現場力があるともいえますが、管理職が本来やるべき管理職の仕事をしていないという問題の根深さが改めて浮き彫りになったのです。

負の遺産その③

〝学び直し〟を拒否する古参幹部

私は本来の意味の管理職を育成することが必要だと考え、全社として階層別の外部研修（タナベ経営の幹部候補生スクール）への参加を中間管理職に義務づけました。私自身が大前経営塾を受講した際に、セールスとしての業務に明け暮れ経営者としての勉強が十分でなかったことを痛感していたためです。

しかし、幹部と幹部候補13人のうち最古参の営業部長（A部長）を含む3人がこのタナベ経営の幹部候補生スクールの受講を拒否したのです。企業として学び直しの機会を提供したつもりなのに、堂々と拒否するその姿勢には正直、落胆を通り越して呆れたことは今でも覚えています。

古参幹部たちにとっては現状維持が心地よかったと思います。その後彼らは結果的に誰一人として後継者を育成しませんでした。そうして保身を図り、同じポジションに居座り続けることができていたのです。そこに私が新社長として現れ、彼らの安寧の場所を揺さぶるようなことをしたわけですから、自分の地位が脅かされるのを感じて抵抗したのだと今になれば分かります。先代の経営を踏襲せずに破壊して、新しい何かをつくろうとしていた私は、彼らにとって脅威だったはずです。そもそも彼らはマネジャーの仕事が何であるのかをまったく理解していませんでしたし、分かろうともしていませんでした。自分が担当している業務内容以外は、例えば財務に関する基本的な内容すら理解しておらず、彼らが管理職役員の席にいたことが会社の停滞を招いていた大きな要因であることは明らかでした。

古参幹部こそが変革すべき悪しき組織風土そのものである

これらの失敗について考えると、人材育成の取り組みに難航した理由は明らかに古参幹部の存在が大きかったといえます。

古参幹部は先代とともに会社を守り育ててきた功労者であり、いわば先代と同じくアンタッチャブルな存在です。こうした古参幹部の扱いは、私と同じ境遇の後継者にとっても一番の悩みどころだと思います。

事業承継の際には古参幹部には先代とともに退任してもらうか、または、事業承継後も引き続き幹部として働いてもらうかの二択になります。

企業の風土は、長く現場の最前線で働いてきた古参が創業者（先代）とともに築き上げてきたともいえます。だからこそ彼らがいる限り、企業風土を改めることは難しいのです。彼らの存在は抵抗勢力にすらなり得ます。私の経験では、彼らは抵抗勢力でした。単刀直入にいえば、後継者の経営に納得できない、あるいはついてこられない古参幹部に対しては辞めてもらうほうが、事業承継を円滑に進めるうえではいいと私は思います。

もちろん創業者とともに身を粉にして働き、会社を発展させてきた古参幹部の功績は称えられるべきですし、かつてはそれだけの能力ももち合わせていたはずです。しかし、会社の歴史とともに古参幹部も歳を重ねています。先代がそうであるように、古参幹部の考え方も往々にして、柔軟さを欠き、時代とズレてきている傾向があるからです。

例えば此花紙工は創業以来徹底した現場主義を貫いた結果、私が2代目としていくら新たな戦略を立案したとしても、現場サイドが新たな戦略を現場軽視ととらえ、なかなか改革が進まないことが多々ありました。さらに生産計画などもなかったため、マネジャーも必要ありませんでした。当時の中間管理職は誰一人としてマネジメントの意味するところをまったく理解しておらず、その結果、いつの間にか実務のスペシャリスト集団が形成されていったのです。

また、すべてがトップダウンで決定されてきたので、私が社長になる以前には社内会議や役員同士のミーティングすらありませんでした。そのため、社長業を退いたとはいえ、会長と古参の間で多くの物事がいつの間にかあうんの呼吸で進んでいくような状況でした。

家族的な経営を長年続けてきた会社の場合、古参幹部は先代からの全幅の信頼を背景に、担当する事業や部門を何十年にもわたり、一手に任されてきているケースが少なくありません。とりわけ経理部門など一定のスキルと経験が求められると考えられてきた部署の場合、容易に交代させられないがゆえに、一人のスタッフが長く担当し続けるようなケースがよくあるのです。

幹部に限らず古参と呼ばれる従業員の多くは長年の経験をベースに、自分の仕事の進め方を確立しているものです。それゆえに仕事のやり方が時代遅れであったとしても、新しい技術やノウハウを積極的に取り込んで、効率的に仕事をしようという改善意欲に欠けている場合が少なくありません。

そのため、私と同じような境遇で会社を引き継ぐ予定のある後継者に対しては、古参には先代とともに辞めてもらったほうがいいとアドバイスしたいと思います。

しかし、実際の私自身を振り返れば、その方法は取りませんでした。

「人を大切にする」という経営理念は、此花紙工の古き良き企業風土としてしっかりと根づいてきましたし、父は独特のおおらかな経営手法で皆を引っ張ってきたのも間違いない事実です。そうした古き良き企業風土を捨ててまで、また、父と一緒に会社の発展に尽くしてきた古参に厳しい処遇を迫ってまで、変革を推し進めることはできなかったのです。

結果、古参を含めた従業員たちを、教育と対話によってなんとか変えようと努力したものの、今考えれば当たり前のことですが、思うような成果が出ませんでした。

近年、中小企業でも雇用継続制度が拡充され、中小企業の多くでも60歳を超えての雇用が認められるようになりました。労働力不足にあえぐ中小企業にとっては雇用継続制度は好都合に見えるかと思います。しかし、本来であれば健全に世代交代を進めていけるはずなのに、このような継続制度の導入により、高齢者が若者の仕事を奪う結果につながるように私は思います。高齢者にとって働きやすい環境が、必ずしも若い人にとって働きやすい環境でないことはいうまでもないことです。高齢者雇用の最大の問題は、高齢者の労働生産性の低さにあります。行政が年金受給の段階的な引き下げを、高齢者の雇用延長でカバーさせることは、中小企業に限らず日本全体の労働生産性を低迷させてしまうことにつながる可能性をはらんでいると私はいいたいのです。若い人が採用できないから高齢者を継続雇用するのではなく、中小企業はまず、高い労働生産性を期待できる若い人が働きたい環境を整えて、あくまでも新卒や第二新卒の採用にこだわるべきだと、声を大にして主張したいのです。

また、古参幹部は会社に長く在籍しているため、後継者よりも年齢が上のケースが多いです。場合によっては後継者が同族の場合、子どもの頃から在籍し、かわいがってくれた人だということもあります。その場合、彼らの仕事ぶりに問題があったとしても、後継者が面と向かって注意することに気が引けるのは無理からぬことだと思います。後継者のためを思うのであれば、承継させる側はやはり、あらかじめこうしたリスクを排除（つまり古参幹部を退職させること）すべきなのです。

人間中心主義の経営理念が自社の事業を慈善事業としてしまった

創業者が社長交代後も出社し、何かと経営に口を出したことで、此花紙工は円滑な世代交代の時期を逸してしまいました。創業者が会社に居座ったため、その取り巻きの古参幹部も顧問という形で、２０２１年に引退するまで居座り続けました。その幹部は、69歳になっていました。また、人間中心主義の経営理念を盾に高齢者雇用を継続し、２０２３年の春まで、製造現場には71歳を筆頭に、60歳代のパートタイマーが６人も在籍していました。彼女たちはパートタイマーといっても、正社員と変わらないほぼフルタイムでの勤務でした。一人のパートタイマーの方は、60歳で一旦定年退職を迎えられたあと、父がわざわざ呼び戻しての再雇用でした。父は著作『小さくても強い会社を作る　本気の経営力』の冒頭で、高齢者雇用の意義をこう記しています。

私たち中小企業は採用が難しく、人材不足です。現有の社員をフル活用することは、喫緊の課題ですが、それでも充分ではない事態が、往々にして発生するのが実態です。そこで、これまで、高齢者呼ばわりされてきた65歳以上の人たちを再度呼び込んでくることは、私たち中小企業が生き延びていくためにきわめて重要だと思います。

また、高齢者を工場内の作業場に集めて、内職加工をさせる「シルバーランド」構想は、私に何の相談もなく進められました。シルバーランドの構想は、海外の生産拠点への投資と時期を同じくしており、私には父の考えがまったく理解できませんでした。国内で高齢者をわざわざ集めて、紐付けや製品の検品などの内職加工をさせるというのがこの作業場のコンセプトで、人を集めるための苦肉の策として出勤手当（１０００円）を支給するということを伝え聞いたときは、「これは、慈善事業にすぎない」と感じた記憶があります。このシルバーランドの設置は、ベトナム事業の立ち上げと時を同じくしており、父に私が押し進める事業への嫉妬があった、というのは考え過ぎでしょうか。

この一件は、国内に仕事を留めたい父や古参幹部と将来の労働力確保のために、海外事業に経営資源を集中させたい私との間の溝を決定的に広げる結果となったのです。

高齢者雇用の現実

2012年の立上げ当時から、ベトナム工場のワーカーの平均年齢は20歳代後半です。前述したように国内のパートタイマーの平均年齢は60歳を超えており、私が12年前にベトナムへ進出した理由が、まさにこの点にあります。父がその著作で述べているように、もちろん高齢者には、長年のキャリアで培った経験や知識、ノウハウがあることは、理解しています。しかし、こと現場作業に関していうと加齢に伴う肉体的な衰えをカバーできるほどのスキルをもっている高齢者がいるとは、私には到底思えないのです。
父が提唱する高齢者やシニア層を活用しようとする試みは、大変意義のある取り組みではあると思います。しかし、そのうえでやはり高齢者雇用は、高邁な理念先行で、労働生産性の低下を招く危うい取り組みだといわざるを得ません。

高齢者雇用が、高齢化が進む日本社会にとってたいへん意義のある取り組みであることは、私も理解しています。しかし、残念ながら高齢者の雇用と労働生産性の向上はトレードオフの関係にあります。特に製造現場においては、高齢者の労働生産性の低さは顕著です。

一例を挙げると、2022年までの此花紙工の自動紐付け機の分速は毎分約40枚と、業界の平均を大きく下回る水準でした。過去3年はコロナ禍という特殊な状況でもあり、また過去10年に渡る小ロット多品種生産で現場が生産性向上に対する意欲を失ったことなども要因の一つではあるのですが、常々私はこの低い生産性を大いに問題視していました。製造現場を視察する際に、せめて20％増しの毎分48枚を目標とするようにと、口を酸っぱくして言い続けました。そのたびに、現場の作業者（機械オペレーター）の反応は鈍く生産性を向上させることに何か不都合があるのかと訝しまなければなりませんでした。

大きな理由の一つが、袋の取り手であるパートタイマーの存在です。この袋の取り手のパフォーマンスは、生産性に直接影響します。平均年齢60歳を超えた高齢のパートタイマーを雇用し続けたことが、結果的に労働生産性の低下を招いたのです。つまり、人間中心主義の経営理念に基づいて行った高齢者雇用という取り組みが、此花紙工の競争力を奪う結果となり、いつしか此花紙工の事業は、慈善事業と化してしまったのです。利潤の追求よりも、理念を重んじたことが、此花紙工の過去20年の停滞を招いたことは、明白です。

また、ベトナム工場とシルバーランドの対比に象徴されるように、より若く意欲に溢れたベトナム工場の労働力を活用することより、国内で高齢者の活用を選んだのは、父の大きな経営判断の誤りであり、創業者としての晩節を間違いなく汚す結果となりました。

カリスマ創業者の退場の遅れが世代交代を阻み、事業は停滞した

高齢者雇用がいかに製造現場の労働生産性の低下を招くかについて述べましたが、経営者の高齢化にも同じことがいえます。

此花紙工の創業者である父は、今年（2023年）に米寿を迎えます。この春まで毎朝出社し、工場を見て回ったりしていましたが、体力の衰えもありこの春、ようやく出社しなくなりました。カリスマ経営者が60代半ばを過ぎてもなかなか退職しないのは大企業と同じで、日本電産やファーストリテイリング、ソフトバンクなども後継者選びが難航しているといわれています。

大企業でさえこの有様で人材不足に悩む中小企業で世代交代が進まないのは、ある意味致し方ないともいえますが、世代交代が進まない企業では、事業革新を前進させられません。

逆にいうと、事業承継をシンプルに社長交代と位置付けると、社長交代のタイミングこそが、事業革新のチャンスだったのです。私が後継者として目指したのが、従来の国内の下請けビジネスモデルからの脱却でした。受注こそ安定しているものの、収益性の低い下請けビジネスモデルでは、これ以上の自社の成長を期待することができないことは、実際にセールスマンの仕事に携わって痛感していました。

また、来るべき人口減少社会を前に、労働力確保が可能なベトナムで、事業を展開することは、〝下請け〟から〝元請け〟へのビジネスモデルの革新と、いわば一石二鳥の取り組みでもありました。当時の役員会でも、懇切丁寧に海外事業の意義を説明したつもりでしたが、私の思いは父や古参幹部には届きませんでした。海外事業への投資は結局、父の賛同を得ることができず、私個人の責任での投資となりました、悔いはありませんが、今更ながら、あのときに海外事業へ経営資源を集中させておけば、その後の此花グループ全体の停滞を招くことはなかったのではないかと、思わずにはいられません。

私は2023年、国内の内職加工の急速な減少を理由に、国内での生産ラインの3分の1をベトナム工場へ移管することを決めました。自社に限らず、遅かれ早かれ国内での内職加工の担い手を確保することが困難になることは明らかであり、ベトナム工場の存在は、此花グループにとって大きな希望です。設立から12年経った今、ベトナム工場への生産ラインの移管という選択肢をもっていたことが、実は自社の強みであったことが証明されたことは、この上ない喜びです。

ベトナム工場設立当時の父の年齢は76歳であり、すでに代表権は返上していましたが、創業者としてその発言は絶対でありました。やはり、後継者に道を譲るだけの度量に欠けていた父の責任は大きいと感じます。父の年齢を含めて考えると、カリスマ創業者の退場の遅れが、世代交代を遅らせ、さらには、事業革新（ビジネスモデル革新）を妨げたという意味では、やはり世代交代が進まない企業は停滞することを証明したように思います。

国内工場に変わってベトナム工場がマザー工場となる可能性

2022年の10月に、私はベトナム工場を2年9カ月ぶりに視察しました。かつて

100人を超えていたワーカーは、コロナ禍の影響やその後の工場移転もあり僅か28人にすぎませんでした。しかしその多くが創業当時からの懐かしい面々で、彼女たちの技術はさらに磨きがかかっており、久し振りに見た彼女たちの技術は目を見張るものがありました。

今でこそ、此花紙工は機械設備での製造を行っていますが、黎明期には、封筒の貼り加工を近隣住民の内職に頼っていた歴史があります。その後、事業の拡大につれて、機械化し大量生産の時代に入っていきますが、手加工による紙袋の製造はいうなれば此花紙工の原点です。視察した現場のラインの女性の手加工の技術はたいへんすばらしく、彼女らの技術に此花紙工63年の歴史を垣間見たような気がしました。労働力の確保すら難しい日本にとどまっていれば、ベトナムの地での技能伝承などままならなかった可能性を考えると、ベトナム工場は此花紙工が日本で培った技能やノウハウの集積の地として、此花グループのマザー工場となる可能性が高まったと考えています。

働き手の確保すらままならない日本国内で、技能伝承に頭を悩ませているほかの中小企業にも、海外での技能伝承の可能性は、検討の余地があるのではないかと思います。

下請けビジネスモデルに限界を感じたことが、海外へ目を向けさせた

そもそも私が海外を目指した理由は、経年劣化していた下請けのビジネスモデルの革新の必要性を感じていたからにほかなりません。私が社長に就任した2004年の時点で、ダイエーとの取引をやめたことを機に、下請けへビジネスモデルを変更してから、すでに30年の月日が流れていました。

一般的に、企業の寿命は30年とされています。その最大の理由は、ビジネスモデルの経年劣化にあります。下請けビジネスモデルの問題点は、価格競争に陥りやすく、そのため収益性が低いことが挙げられます。また、下請けビジネスモデルにおいての営業の仕事は受け身にならざるを得ず、いわゆる御用聞き営業になりがちです。御用聞き営業の問題は、優秀な営業になればなるほど、発注窓口と緊密な関係を結べば結ぶほど、受注の安定と引き換えに、受注単価はもとより品質や納期に対しても過剰な要求を受けざるを得ず、自社

の製造現場の生産性を貶める結果に陥りやすい側面がありました。

また下請けの場合、元請けとは違い、顧客と直接コミュニケーションを取れないため、例えば自社の設備投資などに繋がる情報を得ることが難しく、長期的な経営戦略を立てづらいことも、大きなマイナスでありました。

下請けビジネスモデルからの脱却となるはずだったEコマース構想

私の会社は父の時代に2度大きな業態変革をしました。1度目はダイエーとの取引を機にそれまでの荷札製造から紙袋製造業に参入しました。それまでの此花荷札製造所から此花紙工株式会社へと社名を変更し、それまでの主力品目だった荷札（宛先や送り主を明記して荷物に付ける札）と、用紙の裏面に複写用のカーボンを印刷する裏カーボン印刷から角底紙袋製造業へと業態転換を果たしました。

2度目は、その大手スーパーとの取引を止めて、主に代理店や大手印刷会社の下請けへとシフトしたことです。当時の印刷業界は日本経済の成長とともに大きく発展していた時期にあり、1度目の変革と同じくこの商流の変更は、当グループの今日に至る経営を方向付けたといえます。

こうしてみると1度目の業態変革は、それまでの主力商品であった荷札から角底袋、いわゆるショッパー、ショッピングバッグへ主力商品をシフトさせることで業態を革新し、2度目は、元請けから代理店を通した下請けへと商流を変更することでビジネスモデルの革新を行い、製袋機の積極投資によって業界内で一定のポジションを築くことにも成功しました。

そして3度目の事業革新と位置付けていたのが、新たな販売チャネルとしてEコマースへ参入したことです。かつて時代の変化に応じて、また市場のニーズに応じて業態転換を果たしてきたように、今回の事業革新もインターネットという新たな市場開拓に挑んだのです。

此花グループの営業スタイルは、商社や印刷会社などを代理店とする下請けが中心でした。しかし、リーマンショックによる不況のあおりを受けるなか、下請けで受注を確保し、

2012年当時収益性を維持するのは難しくなっていました。今後はダイレクトセールスにも注力し、エンドユーザーから直接仕事を請ける直販体制も構築しなければ、受注の減少、受注価格の下落に歯止めをかけられないという危機感を抱いたのです。

しかし、サプライチェーンの最下層に属する会社が、エンドユーザーにアプローチすることは、これまで世話になった顧客に弓を引くようなことになりかねません。そこで、従来の顧客との競合を避けるために、いわゆる一般消費者をターゲットにした既製品を主力とし、新たな販売チャネルとして、2012年にインターネットショップをオープンしたのです。

ショップは自社の独自サイトとして一から構築したわけではなく、「Yahoo!ショッピング」と「楽天市場」という既存のショッピングモールへ出店する形態をとりました。既存の知名度のあるサイトに出店することで、システム構築の手間や集客でのリスクを減らすことができるからです。

ネット販売にチャレンジしたのには、もう一つ理由がありました。多くの中小企業は資金繰りの問題を常に抱えています。私の会社も同様で、支払いを伝統的に手形でいただくケースが多く、そのため、手形の割引に頼った資金繰りにならざるを得ませんでした。特に120日を超えるような、回収までのサイトが長い手形の場合、その分資金繰りが悪化し、財務体質を弱体化させます。Eコマースの場合、キャッシュオンデリバリーが基本なので、資金繰りには大いにプラスです。資本金に乏しい中小企業にとって、Eコマースは魅力的な事業だったのです。

このポータルサイトの構築はルートセールス（御用聞き営業）からの脱却を念頭においていました。しかし、古参幹部からの激しい抵抗に遭うことになります。彼らは、既存の販売ルートをこの販売ポータルサイトが侵すのではないかという危機感をもったようでした。古参幹部は役員会の席で特定の顧客の名前を挙げて、申し訳が立たないなどと発言しました。私は彼らの言葉を聞いて、これは顧客満足の追求などではなく、自らの保身あるいは立場の保全から出た言葉なのだと受け止め、ただひたすら悲しかったことをはっきりと今でも覚えています。

結局このEコマースサイトはポータルに顧客が直接入るのではなく、御用聞きの担当をつける形で既存の販売ルートに組み込まれ、その後Eコマースサイトはいったん閉鎖へと追い込まれることとなりました。

学ばない、成長しない従業員

人手不足が深刻な問題となっているなか、特に中小企業では従業員一人ひとりに求められる役割が大きくなります。此花紙工の経営理念は父の時代から「人を大切にする」でありました。社長交代後から働き方改革（長時間労働の是正など）を進め、労働生産性を高めるにはどうすればよいかを考えた結果が、人を大切にする企業としての「人的資本経営」でした。もちろんただ単に休みを増やしたり、残業を少なくしたりするだけでは競争力や生産性が低下します。そこで、人材教育を通して、より高い付加価値の創出や生産性を実現できる人材を育成しようと考えたのです。人材育成に関しては、新しい人を採用する動きと並行して、従業員の意識変革を促すための活動にも取り組みました。在庫削減や生産性向上など5～6つのプロジェクトを若手中心に構成し、チームごとに議論を重ねてもらいながら実務に活かすことを目的としたものです。

結論からいうと、これらの人材育成の取り組みはいずれも成果を出すにはほど遠く、無残な結果に終わったと判断せざるを得ませんでした。

理由と考えられることは主に2つです。

1つ目は、当時は全社がぬるま湯に浸かっており、会社の先行きと自分の将来について真剣に考えている人材が残念ながら見当たらなかった点です。

私が社長に就任した当時、会社がおかれている経営環境はいずれ厳しさを増すことがすでに予想されていました。しかし、多くのゆでガエル状態の従業員には危機感がありませんでした。来るべきときに備えて、自身のスキルを向上させることより、目の前の業務をこなすことのほうが重要であるように思えました。会社の売上がピークを迎えていたことも手伝って、むしろ順調に事業展開していると認識している従業員がほとんどだったはずです。

2つ目は、そもそも自らは望んでいない人に教育をしようとした点です。これが古参幹部にしろ、若手従業員にしろ、人材育成に失敗した最大の原因だと思っています。

私が求める従業員の資質は①素直さ、②謙虚さ、③勤勉さの３つです。人の言うことが聴けない、失敗から学べないというのは、退職していった多くのマイルドヤンキーたちに例外なく共通しており、彼らにはこの３つの資質が欠けていました。長年のぬるま湯に浸かっていた従業員たちは、そもそもこの会社で自分自身を成長させたい、会社や社会に貢献したいという高い志をもって入社したわけではありません。多くの中小製造業がそうであるように、当時の従業員たちも地元の高校を卒業してすぐ採用された人材ばかりでした。決められた時間働いて、ある程度の給料をもらうという生活に満足していたのです。自己研鑽をしたくもなければ、そもそも彼らの実力からすれば高い給料をもらっているので努力をする必要もない、そんな考えの従業員がほとんどだったのです。

ＴＱＣなど現場の研修会を始めた矢先、人づてにある若手の従業員がこう話していたと耳にしました。

「僕は勉強がしたくないから高校を出て就職しました。なのに、なぜ今さら勉強をしなければいけないんですか？」

この一言を聞いた瞬間、さすがに呆れて返す言葉が見つかりませんでした。

「私はあなたに優しくするためにこの会社にいるわけではない。成果を出させるためだ」

これはスティーブ・ジョブズが語ったとされる言葉です。当時の私もそのような心境でした。

私は製造現場の個々で人材の質を高めることが、私の目指す人を大切にする経営には不可欠であると考え、従業員の育成に取り組んだのです。しかし私の従業員教育は無残にも失敗に終わりました。

この学びたがらない、成長したがらない従業員の多くを目にして以降、高付加価値のモノづくりの路線での経営を諦め、小ロット・多品種・短納期のモノづくりへとシフトします。高付加価値のモノづくりには新しいスキルや知識が必要ですが、小ロット多品種はそうではなく、今まで培ったスキルでも対応が可能だったからです。

年功序列の賃金体系

２０２３年5月から返済がスタートする、いわゆるゼロゼロ融資は新型コロナウイルス感染症の影響で売上が減少して経営状況が悪化した中小企業に対して、資金繰りを支援するために国が打ちだした実質無利子無担保の融資です。どうやって返済し、有利子負債もさらに減らしていくのか——そこで経営者の頭をよぎるのはリストラではないかと思います。日本企業はバブル経済崩壊から失われた30年間の長く続く不況のなか、少しずつ人員を削減し、あるいは採用を控えることで窮地をしのいできました。しかし、それでは優秀な人材が育たないうえに、企業の社会的責任の一つである雇用の維持を果たすことができません。

では雇用を維持しつつ、どうやって返済を続けるのかというと、一つは、年功序列型の給与体系を抜本的に見直すことです。

私の会社では、2005年4月に、職能資格給制度を導入しました。実はこの制度以前に賃金制度自体が存在しませんでした。年功序列ですべてが決まっていました。さらに同年11月には人事考課制度を導入し、職能資格の等級に当てはめて昇給額を決定するシステムを採用しました。同時に、目標管理制度も新設し、賞与を業績連動方式に変更したのです。

これにより、仕事の成果によって給料や賞与が上がる従業員とそうでない従業員との差が出るようになりました。年功序列型賃金制度からの脱却、そして賞与の業績連動方式への移行は、大企業で働く人から見ると、今さらと思われるかもしれませんが、中小製造業で働く当時の従業員にとっては衝撃だったはずです。これまでノルマもなく、目標も設定されず、創業者の鶴の一声で昇給が決まっていた状況から一転、早い話がそれなりの努力をしなければならない状況になったわけで、ぬるま湯に浸かっていた従業員にとっては初めて経験する事態だったのです。

成果主義、業績連動方式への移行は、そんな従業員たちに精神的な自立を促す目的もありました。自らの技能を高め、会社の業績に貢献する、そのような自律的人材に成長してほしかったのです。

創業者である父は、「人を大切にする」という経営理念を掲げ、創業期から一貫して、可能な限り利益を従業員に還元してきました。しかしその結果として、自社の労働分配率は中小製造業にとっては異常といえるほどの割合になっており、人件費が経営を圧迫しかねない状況でした。

管理職（部長）で800〜1000万円、取締役クラスは年収は総じて1000万円を超え（当時の役員最高年収1500万円）、現業職の従業員でも600万〜800万円、一般事務の女性従業員は500万円程度の支給があり、物流部門の3トントラックのドライバーは700万円の支給を受けていました。私が相談した社会保険労務士がこんな中小企業は見たことがないと驚くほどの厚遇ぶりだったのです。

前述したように今では考えられないことですが、私の社長就任以前には人事制度が存在せず、昇給やボーナスの決定はすべて創業者の判断で決まっていました。一度の昇給で3万〜4万円アップすることもざらにありました。年功序列にプラスして、経営トップの独断と偏見が入り交じったような給与体系だったのです。

加えて利益が出れば決算賞与として最大で100万円程度を臨時で支給するような大盤振る舞いです。給料をもらう側の従業員たちも、特に役員クラスはこの厚遇ぶりを当たり前だと感じていたようでした。新しい賃金制度の導入でようやく賃金も適正な水準に改められるのですが、この制度の導入で割を食ったのは、若手社員のほうでした。一部の高給の古参幹部の賃金を下げるわけにもいかなかったため、その後、長きにわたり給与と役職のミスマッチが生じることとなったのです。

この賃金体系も父の時代の大きな負の遺産でありました。ひょっとするとこの賃金体系こそが父から受け継いだ負の遺産のなかでも最もやっかいなものだったかもしれません。

組織の新陳代謝を図ってDXを活用

デジタルトランスフォーメーション（DX）の遅れによる低い労働生産性は、中小企業共通の悩みだと思います。町工場でデジタル（DX）革命を起こさせる一番の近道は、若い社員を登用し、若い力を中心にデジタル化を前進させることです。しかし、私の会社ではデジタル技術がどんどん進歩し続けるのを横目に、古参幹部が退職するのを待つしかありませんでした。先代から唯一承継したともいえる、人を大切にする経営理念と年功序列、終身雇用制度の存在があったからです。

町工場は都市部ではなく郊外に会社があることも多く、地域社会のなかでセーフティーネットとしての役割を担っています。企業規模の大小にかかわらず雇用の創出を企業理念に掲げている企業は多いはずです。雇用創出と賃金上昇の両方を実現するには企業が成長するしかありません。そして中小製造業の成長とはイコール労働生産性の向上を意味します。

GAFAと比べても仕方ないと思う人もいるかもしれませんが、GAFAも最初は皆小さなベンチャー企業としてスタートしました。過去30年で日本企業の競争力が低下したのを尻目に、GAFAに代表される欧米の企業は成長し続け現在もその成長はとどまることがありません。彼らの成長は社会のイノベーションに寄与してきたからです。これらの企業では、若い従業員たちが革新的なアイデアや技術をもたらし、組織の成長と発展に貢献しています。彼らは創造性や才能を発揮するための環境や機会を提供され、大きな成果を上げています。

同じことが、中小企業にも必要なのです。特にDXの推進に関しては、デジタルネイティブともいえる若い世代の力が必要です。そして中堅以上の社員たちにも、リスキリングやリカレント教育の機会を与えて学び直してもらいDXに対応してもらうことが求められます。思い切って若手を管理職に登用し一気に世代交代させることも必要です。若さの特権は失敗が許されることで、イノベーションを推進する原動力となります。新陳代謝を図ってDXを活用することで、生産性向上と企業成長の両方が実現できるのです。年功序列に守られ高齢化が進む従業員に最新の技術やスキルを習得する意欲があるかというと私の経験からいうと疑問です。残念ながら高齢化する古参幹部やベテラン社員の存在自体が、企業のDX実現の足かせとなる可能性をはらんでいるのです。

町工場、生き残りのため海外へ

社長交代以降、事業の継続が私にとって最大かつ最低限の経営の目的でしたが、それは国内での生産を意味していました。しかしいつしか、この2つが私のなかでせめぎあうようになっていきました。つまり、グローバル化が進む2010年代初頭の日本で、事業の継続と国内での生産は同義的な意味をなさなくなってきたのです。

冷静に考えてみると、中小企業にとっても経営の目的はシンプルに継続であるべきです。継続が目的であるなら、国内生産にこだわるべきではないのではないかと考えるようになりました。社長交代直後に掲げた業界内でオンリーワン企業になるという中途半端な経営ビジョンも、国内事業にこだわり過ぎたゆえの産物だったようにも思えます。

受注がなだらかに減少するに伴い、顧客からも幾度となくコストダウンを目的とした海外生産の要望を突きつけられ、社内でもたびたび議論するようになっていました。ですが最終的に私が海外生産を容認するまでに多くの時間を費やしました。ひとたび海外生産を始めてしまうと、国内にとどまるべき仕事までもが海外へ出ていってしまうのではないかと懸念したからです。現場で働く従業員の生活を守るためにも空洞化だけはなんとしてでも回避しなければならないとの想いからでした。

しかし、そうこうしているうちに、同業他社の海外への生産拠点の移管、消費者ニーズの多様化による行き過ぎた小ロット多品種生産……これらの要因が重なり、受注価格の下落と利益率の低下が深刻化していったのです。

その苦境にとどめを刺すように、リーマンショックによる世界同時不況が日本経済を襲いました。

2010年末私自身が主導した財務面の改革の結果、財務体質の健全化に一定の目処がついたのを契機に、この厳しい時代だからこそ、攻めの設備投資に打って出よう——そんな思いのもと、積極的な設備投資を再開することにしたのです。具体的には本社工場を建て替え、角底紙袋製造の一貫生産を可能にするワンストップサービスの工場を新設する計画です。

創業以来の苦境に立たされているなか、設備投資や新工場の建設が従業員に夢と希望を与え、長引く景気後退や価格競争による受注環境の悪化を打開するきっかけになると期待しました。創業50周年の節目の年であることも、設備投資の凍結解除のタイミングとしてふさわしいと考えました。

しかし、結論から書くと、国内への設備投資は断念せざるを得ませんでした。国内投資を断念した理由はいくつかあるのですが、東南アジアへの視察をスタートしていた矢先に発生した2011年3月の東日本大震災も、ワンストップサービスの新工場建設をためらうのに十分な出来事でした。また、長引くデフレ経済のもと、日本の製造業がおかれた状況は想像以上に深刻度が増していました。特に当時は超円高の影響でデフレ経済の悪化が深刻化し、日本の製造業がグローバル競争に打ち勝つためには、もはや人件費の高い国内で製造するのは難しい状況に追い込まれていたのです。皮肉なことにこの本を執筆している2023年の現在、日本企業は急速な円安の進行によってデメリットを感じ始めており当時と状況は真逆です。

海外生産を決断する要因の一つが、やはり高コスト体質です。人事制度改革で賃金体系を見直していたとはいえ、他社に比べると相対的に人件費が高止まりしている状況を是正できていませんでした。

国内生産にこだわり続けた結果、会社の存続自体が危ぶまれる苦境に追い込まれてしまったのです。会社の存続なしには、国内生産も雇用の維持もありません。

その結果、苦渋の決断により、設備投資と新工場の新設計画を断念することになりました。国内での新工場建設は一貫して私の描いた経営のビジョンでしたが、最終的には、これまで拒み続けてきた海外生産に踏み切ることを決断しました。自社が生き残っていくためには、もはやグローバル化は避けられないとの結論に至ったのです。

第3章

家業は継いでも
事業は継ぐな

海外への進出計画はどう進めればよいのか

中小企業が海外進出を具体的に検討していく場合、どのように進めていけばいいのかというと、まず進出の目的を明確にし、ロードマップを作成します。その際には、「〇年後までに」「売上〇円」など具体的な数値で計画を作成するとよいです。

続いて進出先の検討です。GDPや各種コスト（賃金、地価・事務所賃料、通信費、公共料金、税金、輸送、為替など）、政治や自然災害などの環境も含め比較・検討していきます。比較の際には、経済産業省やJETRO（日本貿易振興機構）などのデータが参考になります。この際には経営者自らが現地に赴くことが何より重要です。

同時に進出形態についても検討していきます。例えば最初から現地に法人をおくのか、支店や駐在員事務所にするのか、資本は独資なのか合弁なのかなど、進出形態はさまざまです。自社の強みを明確にし、進出国の実情を念入りに調べて最適な形を見つけだします。

また、海外での事業展開には予想外の事態がつきものです。事業の悪化や労務問題のほかにも戦争や動乱、災害などさまざまなリスクが発生した際に撤退する基準もあらかじめ決めておくとよいです。私の会社の場合、2020年に新型コロナウイルス感染症が拡大し、大きな決断を迫られることになりました。当時、ベトナムの駐在員は家族4人で駐在していました。現地で幾度となくロックダウンが行われるたびに彼らは精神的に追い詰められていたのだと思いますが、帰国願いが出た際は正直いって複雑な心境でした。人道的に帰国を禁じるわけにはいかないため容認せざるを得なかったのですが、この容認に至る判断に関しても、当初から想定していればまた違った結果になったかもしれません。コロナ禍やロシアのウクライナ侵攻に代表されるように何が起こるか分からない現代にあっては、それでもすべての可能性を想定しておくことは重要です。

この10年の間に、当初予測していた事態はほとんどすべて現実のものとなりました。例えば労務問題に関していえば、ストライキや現地スタッフによる資金の私的流用や日本人スタッフとの労務トラブル、極め付きはパンデミックの襲来です。まさになんでもありの

ＶＵＣＡの時代です。こういったトラブルや世界情勢の変化は常に起こり得るものだと想定しておくべきです。

為替の変動の動きについても隔世の感があります。直近の２０２３年3月23日時点、円相場は１３１円12銭ほどとなっています。２０１１年11月10日のドルに対する円レートは76円71銭で、なんと41％も下落したことになり、私が海外進出を進めた当初には到底予測不可能だった状況になっています。当然、海外戦略も修正を余儀なくされるわけですが、現地の人件費に関しても、２０１１年の最低賃金が約１００ドルに対して、２０２３年現在約２８０ドルにとどまっており、日本国内の労働力不足を補う意味で自社にとってのベトナム工場の存在は円安や現地賃金の上昇を考えても今後もますます重要度が高まると考えています。

急成長する海外マーケットに活路を見いだす

コロナ禍以前の資料になりますが、海外進出意向に関するアンケート調査（2019年、帝国データバンク）によると、海外進出をしている企業は約2割、そのうち約4割が製造業で最も多い結果となっています。

外務省の調査によると日系企業の海外進出状況は2016年の約6万8000社から2021年には約7万7000社に増加しています。なかでも中国への進出企業数の伸びは目覚ましく、2020年には約3万社に及んでいます。

新規進出先の上位は、1位中国、2位以下インドネシア、タイ、アメリカ、ベトナム、インド、シンガポール、韓国、香港、マレーシアと続きます。

その結果、ASEANなどアジアへの進出が全体の7割を超えています。やはり注目すべきは、経済成長著しいASEAN地域ということになってきます。

ＡＳＥＡＮとは、東南アジア諸国連合のことで、加盟国はインドネシア、カンボジア、シンガポール、タイ、フィリピン、ブルネイ、ベトナム、マレーシア、ミャンマー、ラオスの全10カ国です。加盟国全体の人口は6億人を超えており、約4億４０００万人の人口を抱える欧州連合（ＥＵ）より多いことになります。国際通貨基金（ＩＭＦ）によれば、２０２２年以降の名目ＧＤＰ成長予測は約４・９％と、日本の成長予測約１・７％と比較しても高い成長性が見込まれることが分かります。

２０２０年の加盟国の合計のＧＤＰは約３兆21億米ドルであり、日本のＧＤＰの約59％の規模となります。ＡＳＥＡＮを一つの国として見れば、世界第八位の規模を持つことになる、約6億人規模の巨大マーケットなのです。

このように消費市場としての魅力もますます高まっているなか、市場が縮小し、閉塞感漂う日本国内にとどまるのではなく、市場が急拡大する東南アジア、なかでもＡＳＥＡＮ諸国に目を向けることは、今後の生き残り戦略を考えるうえでの重要な選択肢となってくるはずです。

生産拠点だけでなく、市場としての将来性があるか

かつて第一次産業（農林水産業）から第二次産業（製造業）、第三次産業（情報通信サービス業）へと徐々にシフトしていった日本や欧米諸国とは異なり、ベトナムをはじめとしたアジア新興国は一足飛びに成長を遂げています。例えば、ベトナム進出当初、トラクターなどがなくて牛に引かせて農地を耕している農民がｉＰｈｏｎｅを持っているというような奇妙な光景を目の当たりにしてたいへん驚いたことを覚えています。

日本や欧米諸国とは異なる経済発展、市場形成のプロセスを歩むことで、省かれる産業が出てくることが予想されます。

分かりやすい例は電話です。日本では有線電話から始まり、無線通信を経て携帯電話・スマートフォンに移行しました。ところが、アジア新興国では、固定電話が完全に普及するよりも前に、いきなり携帯電話やスマートフォンが定着してしまいました。

テレビもブラウン管の時代を飛び越えて、初めて購入するのが薄型液晶テレビといった家庭が主流です。街づくりに関しても、いきなり巨大なショッピングモールが誕生しています。私が投資をスタートしてすぐの2014年、イオンはベトナム南部のホーチミン市郊外に同国1号店となるショッピングモールをオープンしたのを皮切りにベトナム地域で店舗網を広げ、2022年5月ベトナム南部のビエンホアに7店舗目がオープンしました。です。日本の高度経済成長時代のように、すべての産業の発展が急速に進んでいるといっていいでしょう。

音楽や書籍なども分かりやすいでしょう。いまや音楽はサブスクリプションの時代ですし、書籍に関しては電子書籍がデファクトスタンダードとなっています。音楽業界や出版業界も同様、アジア新興国でも、このデジタル化の波に乗って日本や欧米諸国が時間をかけて積み上げてきた産業の歴史を飛び越して成長していくはずです。

そうすると、アジア新興国における自社の主力商品のショッピングバッグの将来はどうなのかといえば、私は十分な市場が見込めると考えています。かつて日本でEコマースが登場した際、デパートが軒並み駆逐されて紙袋の需要も急減するのではないかという臆測が飛び交いました。確かに百貨店市場は苦境が続いていますが、ネット販売の影響が直撃したというよりは、日本全体の市場縮小に引きずられている影響が大きいといえます。

しかし、ショッピングバッグにはアドバタイズメントやブランディングとしての側面があります。消費者にとって、一流ブランドの紙袋を手にして街を歩くのはステータスであり、自らの価値観を表現する手段でもあります。ショッピングバッグあるいはショッパー（店名の入った紙袋）が、今後もブランド戦略の重要なツールである限り、またショッピングの楽しみ方が根本的に変わらない限り、数は減るかもしれませんが決してなくなることはないと思っています。

私の場合、進出の決め手となった理由の一つが、アジア新興国には我々日本人の目から見てまともな紙袋が存在しておらず、特にベトナムやタイではその品質レベルの劣悪さに驚かされたことです。

例えばタイの高級デパートの紙袋は、日本の品質の基準を満たしているとはいえないレベルで、日本のクライアントに納品すれば即、不良品として返品されてもおかしくないクオリティーでした。

あるいはベトナムの紙袋には、持ち手を補強するボール紙が入っていません。この補強がない場合、紙袋に重い荷物を入れると紐が抜けたり、最悪の場合、袋自体が破れたりしてしまいます。日本では、品質を担保する意味でもボール紙で補強するのが常識なのですが、ベトナムでは補強がないことが逆に常識であるようです。

ショッピングバッグの品質が日本の基準から見れば高くないという事実は、別の視点で見てみると、アジア新興国ではいまだ紙袋を含めたモノづくりの文化が根づいていないということもいえます。包む文化はその国の民度に比例すると私は常々考えていましたが、アジア新興国は目覚ましい経済発展を遂げているものの、ショッピングバッグに高品質や高付加価値を求める段階にまで市場が成熟していないとも考えられます。

しかし、見方を変えれば、そもそも中国を含めたアジア新興国には良質なショッピングバッグのニーズそのものが存在しないかもしれません。物を包むという行為自体に付加価値を見いだしていない市場では、ハイブランドのショッピングバッグといえども、紙袋は単なる物を入れる袋であり、それ以上でも以下でもないのです。しかし、かつての日本がそうであったように、経済成長とともに人々の生活が豊かになれば、いずれ包むという文

【図表3】ベトナムの一人あたりの名目GDPと実質GDP成長率

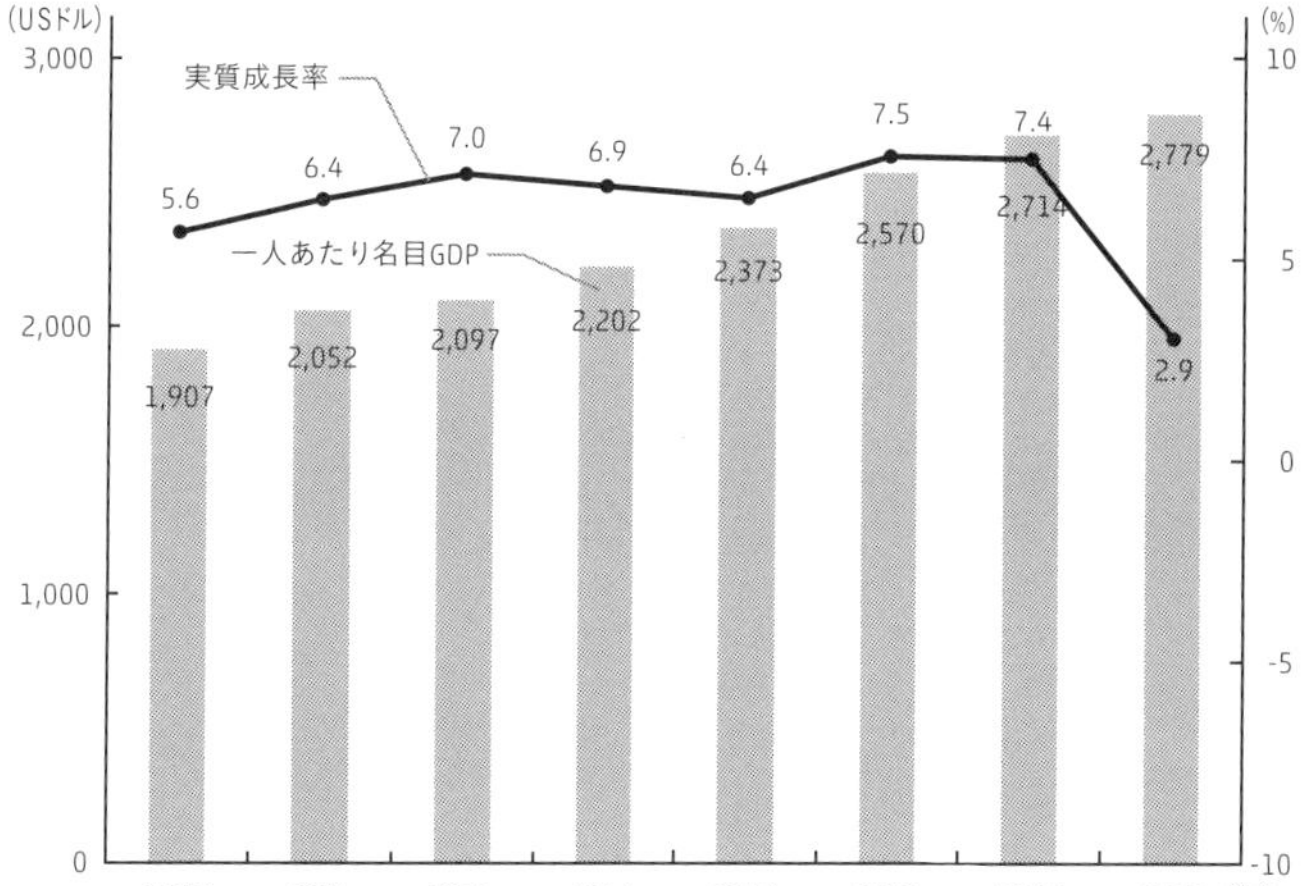

注：ジェトロ海外情報ファイル(J-FILE)を元に作成

化が醸成されていくこともあるはずだと、希望的な観測をしています。また、市場がなければつくればいいのだ、とも考えています。

アジアのショッピングバッグが劣悪な品質なのは、現時点では高品質な製品をつくるために必要なノウハウが存在しない点も影響しています。良質なショッピングバッグ、イコール良質なモノづくりを社会が求めていなければ、そもそも高度なノウハウは必要ないのです。

こうしたアジア新興国の現状は大きなビジネスチャンスです。日本で培ってきたノウハウをASEAN市場に持ち込むことでビジネスチャンスにつなげられるのです。日本のノウハウをもってすれば、ASEAN地域に物を包む文化を浸透させ、高品質あるいは高付加価値のショッピングバッグのニーズを創出していくことは十分可能です。

また、日本の製造業の品質レベルは、製造現場の改善に向けた創意工夫という点では大企業、中小企業に限らず間違いなく世界一です。日本のように、製造現場が自発的に品質改善に取り組む企業風土は、おそらく他のどの国の産業にも見当たらないはずです。

しかし日本で中小企業が営む労働集約的な製造業がその歴史的な役割を終えつつあるこ

とも事実であるとするならば、たとえ海外へ移管してでも、文化としてのモノづくりを残したいと考えています。

たかが紙袋ですが、そのたかが紙袋のモノづくりに真剣に向き合うのが日本人の良さであり、日本に根付いたモノづくりの文化を海外の生産拠点に移管できれば、文化としてのモノづくりも現地に根づかせられる、そんな想いをもってチャレンジしようと考えています。

将来性とリスクを考え進出地を決める

海外進出を図るうえで、もう一点重要なポイントは将来性です。今後の需要拡大を見越すとき重要となるのが人口増加率と国民の平均年齢です。人口が増加し、平均年齢が若い国というのは、経済が成長してマーケットが拡大する余力が残されていることを意味するからです。

また、国民性や親日度も注意すべきポイントとなります。電通が実施した「ジャパンブランド調査2022」によると「行きたい海外旅行先」で日本がトップとなりました。訪日意向がある国では、欧州諸国の伸びが目立ち、アジアではインドネシアが最大の伸びを記録しました。また、親日度1位はベトナムでした。

一方で近年、日本との緊迫感を強める中国や韓国といった国では、反日感情による従業員のデモやストライキ、政治や宗教問題による規制など事業内容とは別の部分でのリスクを考えなければいけません。

これらの将来性とリスクを総合的に考えたうえで海外工場の候補として注目したのがベトナムだったのです。

現在のベトナムの一人あたりGDPは3756USD（2021年）で、工場の工員の初任給は280ドルほどです。一般に一人あたりGDPが約3000ドルを超えると、生活に最低限必要な衣食住が足りるようになり、自動車などの消費市場が急拡大するといわれています。ベトナム統計局は2022年12月29日、2022年の実質国民総生産が前年比8・02％だったと発表しました。公表データでさかのぼれる2009年以降で最も高い

【図表4】ベトナムの人口推移

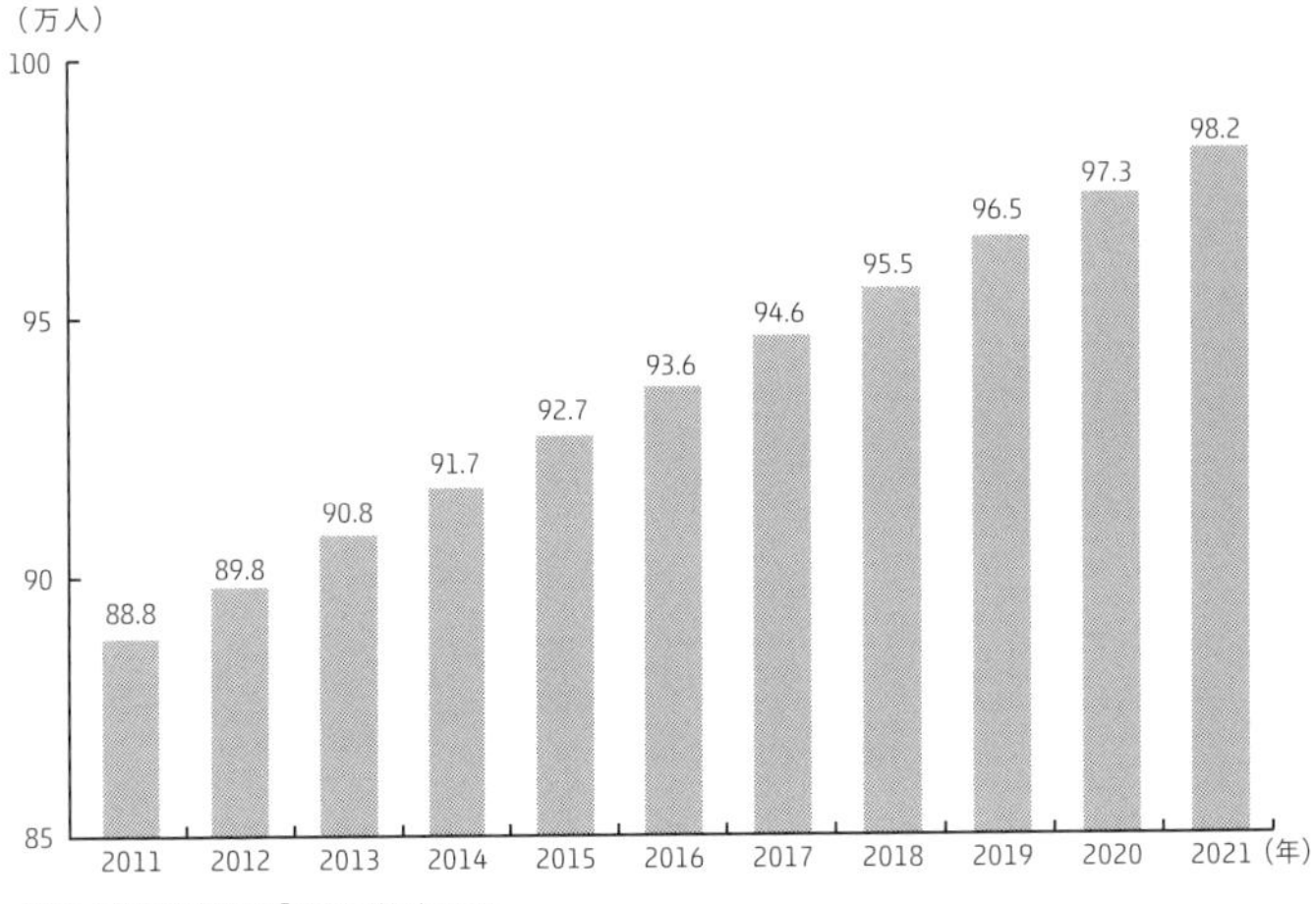

出典：総務省統計局「世界の統計 2022」

成長率になったようです。また、世界銀行（ＷＢ）によると、２０２３年のＧＤＰ成長率を６・３％、２０２４〜２０２５年の平均成長率は＋６・５％となる見込みのようです。かつての日本の高度経済成長期と似た状況といってよいと思います。

ベトナムの国土面積は日本の９割ほどで、人口は９９４６万人（２０２２年時点、国連人口計画推計）です。ベトナムの統計総局は、２０２９年に１億２７０万人に増加するとの推計を発表しています。平均年齢は27歳と若く、平均年齢が約45歳の日本と比較しても活気溢れる国だということが分かります。

さらに、ベトナムの教育制度は小学校が5年間、中学校が4年間の義務教育です。教育システムの充実によって識字率は90％以上とほかの発展途上国よりも高い水準となっています。近年は高校や大学への進学率も上昇し、大学進学率については約30％です。中小製造業の場合、日本ではなかなか得ることのできなかった高学歴の優秀な人材に海外では巡り会えるチャンスがあるのです。また、多くの学生は日本の文化や技術を積極的に受け入れようという傾向が強い点も魅力的です。

【図表5】ベトナムに進出している日本企業の業種と数

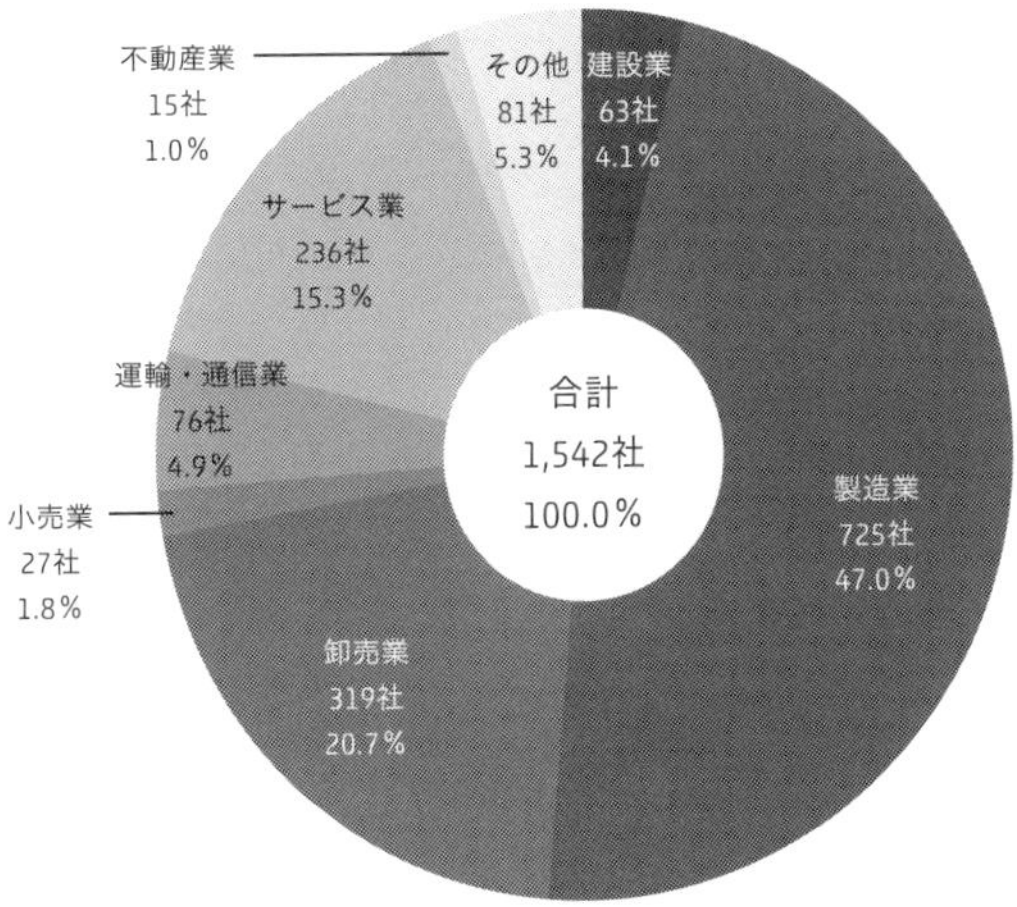

出典：帝国データバンク「ベトナム進出企業の実態調査 2012年」

国内の中小製造業の衰退は円安でも止まらない⁉

中小製造業が海外生産を考えるとき、大きな課題となるのが国内製造のクオリティーの維持です。これまで国内で伝承されてきた高度な技術を、海外のスタッフがどこまで再現できるのか、進出当時は大きな課題でした。海外製品、特に途上国で生産された製品への抵抗感が強い日本の消費者にとって、メイド・イン・ジャパンであることは大きな商品価値であると思います。

いまだに新興国の製品＝安価で低品質というイメージがあるのは事実です。私が進出を決めたベトナムも、今はまだ発展途上にありますが、ベトナム現地の工場と日本の工場の間には、技術的に大きなレベルの差はありません。

経済のグローバル化が加速した現在、工場が世界中のどの場所にあろうが、高い技術力と品質管理体制を背景に、グローバルスタンダードを満たすことのできる高品質の製品を製造できる工場でなければいけないと私は考えていました。

日本と同じ品質を保てるのであれば、日本国内の生産ではなく、新興国での生産を選択することは当然の流れです。事実、2020年時点でベトナムに進出している企業は約2000社、これはアジア新興国のなかでも上位に入ります。

今後も、日本国内の労働集約的な中小下請け製造業は、高齢化や人手不足の問題を抱え、どんどん衰退していくだろうといわざるを得ません。現在の円安の水準が維持されたとしても、日本はすでに労働集約的な仕事を抱える町工場が拠点を置くような環境の国ではありません。中小零細の町工場を、私のように家業として継ぐのではなく、事業として成長を夢見ているのならなおさらです。私の行ってきた取り組みは、ある意味、昭和の日本のモノづくりのスピリットを現代の日本で継承しようとしたことにそもそも問題があったのです。

ベトナムはかつての日本の高度経済成長期にあたる状況です。経済的な面だけでなく、人々のメンタリティーも日本の昭和に近いように思います。そんなベトナムだからこそ、日本では2代目の私が、もう一度、自社の再生にチャレンジしてみようという気持ちを抱くことができたのです。

海外で下請けビジネスモデルからの脱却を目指す

海外進出を成功させるためには、生産拠点と同時に市場拡大のための営業拠点を設けることも必要です。海外で十分な受注を確保し生産拠点を維持することができれば日本国内の製造部門との棲み分けが可能になり、国内製造部門を空洞化にさらさなくともよいからです。

企業がグローバルに事業展開していくにあたって、地域統括会社（複数の海外子会社を統括する拠点）を置くことがよくあります。とりわけ、これからＡＳＥＡＮに進出する企業にとって、ＡＳＥＡＮでの事業を統括する地域統括会社設置はたいへん有効です。複数の海外子会社の商流管理や経営統括、情報収集を地域統括会社が一括で行うことで、海外でのビジネスの意思決定の迅速化が図れるからです。また、海外子会社の法務、人事、財務、コンプライアンスなどのバックオフィス機能もまとめて管理することができるのです。

では、東南アジア全体を商圏として考えている日本の中小企業が進出する場合、地域統括会社をどこに置けばよいのかというと、現在、アジアで地域統括会社の設立が最も多いのがシンガポール、その次がタイとなっています。業界ごとの傾向としては、商社はシンガポール、金融は香港とシンガポール、自動車関連などは産業集積のあるバンコクに人気があるようです。

シンガポールが注目される最大の理由は、アジア事業のハブとしての魅力です。具体的には、①東南アジアの中心に位置しアジア各国へのアクセスがよい、②ビジネス・インフラが充実している、③優遇税制など各種政策が整っている、④英語が堪能で優秀な人材が多い、などが挙げられます。実際、東南アジアで展開している多国籍企業の6割がグローバルなビジネス展開の拠点としてシンガポールを活用しているとされます。

それらの理由から、私の会社もシンガポールに拠点を置くことでアジア新興国での需要を取り込み、ベトナム工場で生産するビジネスモデルの創造を目指すことにしたのです。

2011年9月、ASEANにおける販売拠点の可能性を探るため、シンガポールを初めて訪問したとき私は大きなショックを受けました。面積でいえば淡路島と同じ程度の小さな都市国家が、東南アジアの中核、ハブとしての役割を担っていたと感じたからです。

シンガポールの人口はわずか569万人ほどにもかかわらず、2022年の一人あたりGDPは日本をはるかにしのぎ8万ドルに迫る状況です。面積だけで考えれば小国のシンガポールが、近年は東南アジアのハブとしてさらに存在感を増しています。

シンガポールは世界有数の金融センターであるだけでなく、地理的にも東南アジアの中心に位置しています。そのためバックオフィスを置くのに好立地であるだけでなく、ASEANの販売拠点としても注目されています。

税務上のメリットが大きいことも魅力です。シンガポールの法人税率は香港の約16.5%と並び最も低い水準の約17%です。そのほか、税務上の各種インセンティブが用意されていることから、タックス・ヘイヴン（租税回避地）として活用することができます。

私の会社もシンガポールに販社を設立したわけですが、税務上のメリットだけを求めたからではありません。ベトナムに工場を設立した際、資材調達が難しいという問題があったからです。ベトナムドンが通貨として脆弱なため決済通貨としてシンガポールドルを使う必要もあり、シンガポールに販社を置き、シンガポールで資材を調達してベトナムに支給することで委託加工貿易の形を取ることを考えたのです。もちろん、物理的にアジアの中心に位置し、ビジネスを展開しやすいシンガポールに販社を置けば、旺盛な需要の見込めるASEAN市場の開拓営業拠点として動きやすいというメリットもあります。

2012年1月、ベトナム工場の設立に先立ってシンガポールに新会社を設立しました。シンガポールの法人設立の手続きは簡単で、最短一日で十分可能です。その場で法人名、株主、代表者などを決定するだけの簡単な手続きで終えることができます。

こうしてシンガポールをASEAN域内における営業活動の拠点として、海外で仕事を集め、海外で生産し、海外で売るビジョンを描き、実行する準備が整ったのです。

海外で地域ナンバーワンを目指す

ASEAN域内は6億人規模の消費市場としての魅力もますます高まってきています。

市場が縮小し、閉塞感漂う日本国内にとどまるのではなく、市場が急成長するＡＳＥＡＮ諸国を相手に海外で作って、海外で売る――この新しいビジネスモデルの構築にこそ、中小製造業の未来があり、夢があると２０１２年当時の私は期待に胸を躍らせていました。

当時の私は国内ではオンリーワンという都合のいい言葉を言い訳にして、日本という小さな枠組みのなかで生き残る術を見つけようと四苦八苦していましたが、ひとたび視線を海外に向けると、無限の可能性が広がっていました。さらに、進出するのが競合の少ないＡＳＥＡＮ諸国であるなら、海外に出ると決意したことで、国内のニッチ市場でのオンリーワンではなく、その地域でのナンバーワンになるという夢を描けるかもしれないと考えたのです。

失われた30年を経て、日本と日本人はいつの間にか、経済成長＝豊かさの追求を忘れてしまいました。私自身も時代や環境を言い訳に、事業の成長や発展は難しいかもしれない、と考えた時期もありました。しかし、２０１０年12月のベトナム視察以来、ＡＳＥＡＮ諸国を視察し、企業としての生き残り戦略だけでなく、国内では描けない成長のビジョンが海外では描けるのでは、と考えるようになりました。

当時はASEAN諸国には、同業他社はもとより印刷会社を含めても競合他社はほとんど進出していませんでした。昨今、海外展開については以前よりぐっと身近に議論されるようになりましたが、それは大企業の話であり、やはり中小企業にとっては、海外進出は依然としてハードルが高いのかもしれません。そのなかで大阪の町工場がシンガポールに販社を設立し、ベトナムに生産拠点として工場をつくり、海外進出を実現したのです。さらに昨今の円安の加速は、中小製造業にとって海外進出のハードルがさらに上がることを意味しており、その意味で自社ベトナム工場の希少性は今後さらに高まるのではないかとも思います。また、欧米のクライアントが地政学リスクの観点から中国生産を避けるケースも想定されることから、今後欧米からの受注を呼び込むにはベトナムは最適だとも考えています。

工場の建設にはあらゆるリスクを想定する

中小製造業が海外進出する際、課題となるのが工場の建設です。コストのことを考えると都市部ではなく郊外に工場を建設するほうがいいように思えますが、その際にもさまざまな注意が必要です。

まずは、企業活動の基盤となる社会インフラ、消費拡大の基盤となる生活インフラ、産業集積地間を結ぶ物流インフラなどがしっかりとしているか、加えてアジア新興国のなかには、経済成長に伴って年々増加する電力需要に供給量が追いつかず、産業活動の源泉となる電力が不足するといった事態が生じています。また、洪水や地震といった自然災害などによる影響も見逃せません。タイやインドネシアの洪水で多くの日系企業が大打撃を受けたのは記憶に新しいと思います。タイの洪水では日系企業の約４５０社が工場の操業停止といった影響を受けました。

　また、海外進出の際、自前で工場を建設できるのは資金力のある大企業だけで、中小企業の多くは、工業団地の貸工場へ入居するのが一般的です。

　ベトナムの工業団地には、日系をはじめとした海外企業が投資している外資系工業団地と、ベトナム政府もしくはローカルの企業が運営しているベトナム系工業団地があります。日本企業の場合、日系の工業団地を選択するケースが多いのですが、理由は現地のカンパニーライセンスの取得も含めたコンサルティングをセットで受けられて便利だからです。工業団地によっては給食サービスや駐在員向けの賃貸住宅、物流網の提供といった手厚いサービスを提供しているところもあります。

　ただし、日系工業団地は利便性や安心と引き換えに、入居賃料が割高になる傾向があります。限られた資金で海外進出の準備を整えている中小企業にとっては極力賃料を抑えたいので、割高な賃料に頭が痛いところです。

　工業団地を選定する場合には注意があります。近年、工業団地の乱開発が進み、なかには適切な手続きを経ないまま開発・運営されるケースがあるようです。外資系、ベトナム系に限らず、開発業者が工業団地の開発に関するライセンスを取得しているかどうか、事前に確認したほうが安心です。

私がベトナム進出の検討を始めたのは2010年でした。一見するとベトナム投資に乗り遅れたように思われるかもしれません。しかし、1990年以降、日系企業をはじめとした海外資本がベトナム現地に投下されていったことで、インフラや工業団地といったビジネス環境が整備されていったのです。投資ブームの初期に進出していれば、今以上に多くの問題に直面したことと思います。その点、進出を検討し始めた時期は、すでに先人たちが現地のビジネス環境の最低限の地ならしを終えた段階でした。その意味で、海外投資が成熟した今の段階での投資は中小製造業にとっては比較的リスクが低いといえます。

2023年3月現在のドルに対する円レートは130円台前半と一時の150円台のドル高状況が改善されたとはいえ、依然として歴史的な円安であることに違いはありません。日銀の金融政策が大きく変更されない限り、日米金利差の拡大傾向は変わらず、かつてのような円高へ逆戻りする可能性は極めて低いように思います。そう考えると海外投資のハードルは今後中小企業にとってさらに高いものとなるかもしれません。

ベトナム・ホーチミンに現地法人を設立する

日本の中小企業が海外展開を考えるとき、進出支援を手掛けるコンサルタント会社などにサポートを依頼することが一般的です。

なぜなら初めて海外ビジネスにチャレンジする企業にとって、海外は未知の世界だからです。言葉はもちろん、商習慣も人の気質も法律も商流も、すべてが異なります。暗中模索のなか、自力でビジネスを軌道に乗せるのはハードルが高いと考えるのは当然のことです。

とはいえ、自分で現地を歩き、自分で集めた情報は何よりも尊いものです。コンサルタントに相談した場合、企業が単独で進出準備をするのがいかに難しいかという視点で話をすると思います。コンサルタントも商売なので、進出支援の依頼を取りつけなければいけないからです。

その情報を鵜呑みにしてコンサルタントに依頼すれば確かに手間は減りますが、その分、相応のコストが発生します。また、人任せにして自らが細部まで理解していないことで、新たなリスクを背負うことになる可能性もあります。だからこそ、自分で実際に現地を歩き、自分で情報を集めることが何よりも重要なのです。

私自身、コンサルタントには頼らず、現地調査から工業団地の選定、会社の設立登記まですべて自分で行い、ベトナムに独資で現地法人を設立しました。

実は私も当初、印刷業でのカンパニーライセンス取得を目指していたため、ベトナム進出にあたってはコンサルタントからの情報提供を受けていました。しかし何人かのコンサルタントに話を聞いたところ、そもそも印刷業ではライセンスが取得できないという人もいれば取得はできるけれど手間とコストが相当かかるという人がいるなど、情報が錯綜していました。そのため、最終的には進出に関してのサポートは依頼しないという決断をしたのです。ベトナム進出にあたって、当初は独資ではなく、合弁での設立を目指しました。コンサルタントからの情報によれば、ベトナムでは外国資本単独での印刷業のライセンス取得は非常に難しいと聞いていたからです。

その際、大きな助けとなったのは、現地で独自に築いた人脈です。特に、現地で印刷会社を経営するラン会長とは、私と同年代で英語も堪能だったことからすぐに意気投合しました。彼女を大阪に招待するなど親交を深め、徐々に信頼関係を築き、私から合弁の提案をもちかけました。

彼女が経営する会社はホーチミン最大の印刷会社で、パッケージの生産以外に段ボールケースの製造や製本も行っていました。事業拡大に積極的で、合弁の提案に対して前向きに検討してくれることになったのです。

しかし、最終的にこの合弁交渉は見送ることになりました。50対50という資本関係に対して彼女が最終的に難色を示したからです。私との関係が悪化したわけではなく、経営の意思決定のプロセスが具体的にイメージできず、合弁は難しいのではないかと彼女が考えたのです。その代わり彼女の話によると、独資での会社の設立が十分可能だということでした。

私自身も元来独資での進出を希望していたので、現地に精通したベトナム人経営者のサポートが受けられるのであれば安心です。こうして合弁交渉は白紙に戻し、独資での進出を検討することになりました。

ライセンスの取得に関しては、ベトナム政府が外資の印刷会社の投資を規制しているというのがコンサルタントの共通の見解でしたが、ラン会長に相談したところ、外資の印刷会社でも取得は可能だというのです。結果は、彼女の言うとおりでした。ラン会長のアドバイスに従って各種の手続きを進めたところ、事前の情報で聞いていた以上のスピードでライセンスを取得し、法人登記を完了することができました。

ただし、現地のライセンス発行機関とのやり取りには閉口しました。窓口担当者の英語の訛りがきつく、聞き取りにくいうえ、言っている内容が二転三転して要領を得ないのです。さらに担当者が毎回のように代わり、そのたびに一から説明する必要があるなどの問題もありました。そうした苦労はあったものの、結果として事前の情報より短期間で手続きを終えることができました。

こうして紆余曲折を経て、2012年10月、現地法人を設立することができました。ベトナム進出を果たしたあと、日本でメガバンク系のコンサルタントの方と話をした際、自力で現地法人を設立した経緯、シンガポールに販社をもっていることなどを説明したところ、「テキストブックのとおりの進出でなにも言うことはありません」とお墨付きをもらうことができました。手探りでの海外進出準備ではありましたが、経営者自らがすべてを実行するという選択にやはり間違いはなかったのです。

海外なら新たな器でゼロから始められる

先代から引き継いだ会社を今の時代に適した形で経営していくには、ヒト・モノ・カネのすべてで再構築を余儀なくされる可能性があり、それはある意味ゼロからスタートするより難しいともいえます。そしてそのことを2023年の今改めて痛感しています。しかし、海外進出した先では新たな地でスタートすることで、創業者のやり方ではない、自分の思いどおりの新たなやり方でビジネスモデルをゼロから構築できます。日本では、自分のやり方を踏襲させようとする父と自分なりの経営を模索する子という図式のなかで苦しんだ私でしたが、ベトナムで工場を設立するにあたり、日本で思い描いたビジョンをベトナムで結実させたのです。

しかし一方で工場設立にあたっては多くの課題がありました。

まず、設備の導入にあたって、創業者である父と意見が真っ向から対立したのです。父は輪転製袋機を導入するか、機械設備を入れずに新興国の安価な労賃を背景としたハンドメイドを製造の主力とするか、このいずれかを主張しました。それに対して、私は自動手付枚葉製袋機の導入を役員会に提案したのです。

紙袋にはハンドメイド、自動手付枚葉製袋機、輪転製袋機と大別すると3つの製造方法があります。

輪転製袋機は付加価値がいちばん低いタイプです。大量生産できる強みがありますが、生産した紙袋の上部はノコギリの刃のようにギザギザに裁断されているため、高級感を演出しにくいというデメリットがあります。また、輪転製袋機は少なくとも大中小のサイズをそろえる必要があり、資金に限りがある中小企業にとっては大きなリスクです。

また、現地ワーカーによるハンドメイドでの紙袋製造は、最も付加価値の高いタイプの紙袋をつくることができますが、機械を使わず文字どおりハンドメイドで加工を行うため、一定の受注量に対応するためには数百人規模のワーカーを確保する必要があります。中国の現在の最低賃金の高騰を例にするまでもなく、ハンドメイド、つまり人に頼っていては、最低賃金の上昇の影響をもろに受けることが容易に予想されます。ベトナムで長い目での経営を考えると現地ワーカーに多くを頼ることは、一抹の不安がありました。

一方、自動手付枚葉製袋機は中程度の付加価値を生み出せるタイプです。生産した紙袋の上部は、折り返しになっているため十分な強度もあり、高級感も演出できます。

自動手付枚葉製袋機を選択した判断の決め手は、自分の足で東南アジアを歩いて得た直感です。アジア新興国では大量生産を前提とした輪転の紙袋が求められると思いがちです。しかし実際に現地を見て気づいたのは、ベトナムをはじめとしたアジア新興国ではいまだ紙袋を持つ文化が根付いていないことでした。

今後、アジア新興国の国々で消費がさらに活発化し、紙袋の需要が増え、大量に消費される時代が来るまでには一定の時間がかかるのではないかと考え、そのため大量生産が前提の輪転機は、時期尚早ではないかと考えたのです。今考えると、輪転製袋機導入は資金的に難しいことを念頭に私の海外展開を思いとどまらせるための父の口実だったのかもしれません。

また、輪転製袋機は大量生産を念頭においていることもあり、高い技術が求められる機械ではありません。極端にいえば、熟練した職人ではなく、製造現場の経験の浅い人でも扱える機械です。この輪転製袋機をベトナムに導入したとしても、日本で培った技術やノウハウを活かせないと考えました。

ベトナムの最低賃金は年々上昇が続き、2022年は約6%の上昇でした。コロナ禍もあり、賃金の上昇はベトナム政府によりいくらか抑制されていましたが、2023年以降急激な上昇が予想されます。人件費の高騰が続くのであれば、大規模な雇用は大きなリスクであり、安価な労働力頼みの工場運営ではいずれ行き詰まることは目に見えていました。また、手作業中心の工場づくりでは、日本で長年培ってきた機械設備を活かした高度な製袋の技術やノウハウの移管という意味でもメリットがありません。これらを踏まえて検討した結果、自動手付枚葉製袋機の導入を決断したわけです。

また、自動手付枚葉製袋機での生産には熟練の技術が要求されることもあり、今後、仮に同業他社が参入しても、そうたやすくキャッチアップされないとの読みもありました。

こうした考えでその製袋機の導入を役員会にかけて、承認を得たうえで進めたのですが、父からは猛反対を受けました。

自動手付枚葉製袋機は日本の業界では導入が進み、一部で価格競争に陥っていました。それゆえに長年ニッチな業界で品質や納期で差別化を果たし、同業他社とも不毛な価格競争をできる限り回避してきた父の目には、低い付加価値しか生み出せない設備を導入することは価格競争に巻き込まれるだけだと映ったようです。しかし、ベトナムに進出している同業他社は数えるほどで、枚葉の自動手付を導入している会社はまだ東南アジアにはありません。同じ付加価値を提供できる設備をもった競争相手がなければ、価格競争に陥る懸念はないということを、現地をこの目で見て自分の足で歩いて来た私は何度も説明しました。

役員会で父と激しく議論する導入する機械設備を巡って

役員会議の席でも周りの目をはばからず、導入する機械設備を巡って創業者である父と激しく対立することになりました。今思えば親子だからこそ感情がぶつかり、互いに相手の考えを容易に受け入れることができなかったのかもしれません。侃々諤々《かんかんがくがく》の議論を続けましたが、結局、最後まで父の理解を得ることはできませんでした。

その結果、私個人の投資でベトナム工場に機械設備を導入する決断をしたのです。「そこまで反対するなら会社に迷惑はかけない。個人の責任で機械を購入する」――そう役員会議の席で宣言し、自動手付枚葉製袋機の導入に踏み切ったのです。

それでも父は諦めませんでした。私が機械設備の購入手続きを進めていた機械メーカーに直接連絡し、発注をストップするよう要請したのです。その機械メーカーとの契約はすでにクローズしていたので事なきを得ましたが、この機械メーカーと私との信頼関係は父の予想だにしない行動によって修復不可能となりました。この一件の後、私は父とこれ以上話し合う、分かりあうことを諦めました。今、当時のことを振り返って感じるのは、父の私への嫉妬にも似た感情がそこに潜んでいたのではないかということです。

この設備投資は紆余曲折あったものの、結果として今思えば最高のタイミングで導入できました。自動手付枚葉製袋機を購入したのは2012年夏です。当時は超円高で1ドル約78円だったため割安で購入することができました。アベノミクスによる一連の経済政策で円安に振れる前のタイミングで導入できた点は資金力に乏しい中小企業が海外進出をするタイミングとしては、理想的だったといえます。

設備の購入に関しては、自己資金を私が捻出し、足りない部分はグループから個人的に借入を行う形で支払いました。自らの信念を貫いたので後悔はありませんし、その分自分の力を信じてやるしかないと気持ちの整理をつけることもできました。

企業理念を活かし現地従業員と信頼関係を構築

海外進出を果たしたあとは、いかに事業を継続発展させていくかが経営者の課題となります。まず重要なのが、人材の確保と労務管理です。

ここで人材確保・労務管理について、ベトナム工場での例を挙げると、ベトナムの工場は２０１２年６月に操業を開始しました。当初は15人でのスタートでしたが、２０１４年のピーク時は、１００人ほどのワーカーが働いていました。２０１２年６月の工場立ち上げ以降、退職者はわずか10人程度でした。少しでも給料の高い企業への転職を繰り返すのが日常的なベトナム社会にあって、定着率の高さを示すこの数字は現地の製造業として非常に珍しく、当時の私の一つの誇りでありました。

当時の定着率が高かった理由は、従業員に対して日本での経営をそのまま持ち込んだからではないかと思います。長年日本で培ってきた人を大切にするという理念が、ベトナムをはじめとした新興国で現地のワーカーに新鮮に映ったのだとすれば、私にとってこんなにうれしいことはありません。

創立間もない頃に日帰りの社員旅行をした際のことです。ベトナム工場の従業員の平均年齢は当時も今も20代と若く、社員旅行への参加希望者は100%だっただけでなく、家族を連れて参加するスタッフもいるほどで、経営者冥利に尽きると感じるほど社員旅行を楽しんでくれました。

仕事だけでなく、こうした社内行事をも通して従業員たちとの親睦を深め、一人ひとりと向き合い、信頼関係を築いていきました。そのとき初めて人を大切にするという自社の培った理念の本質が私自身も理解できたような気がします。そしてそれは日本で60年以上にわたって愚直に続けてきたことなのです。何のために経営するのか――日本で一度は見失いかけた経営の目的を再確認できた瞬間でした。

まさに長年培ってきた大阪の町工場の古き良き企業風土が現地の人々に根付き始めた、そんな想いでした。

ベトナムでもワーカーたちが自由に働ける雰囲気のなかで、モノづくりに一丸となって取り組むことができています。現地の従業員は仲間意識も強く、日々、和気あいあいとした雰囲気のなかでの仕事ぶりは日本の古き良き時代を思い出させてくれました。

品質的に問題のない製品をつくり上げているベトナム工場ですが、今後、日本のモノづくりがたどったように管理を強化し過ぎると、今の自由でおおらかな社風やワーカーの一体感が失われるのではないかという一抹の不安も抱いています。組織が小さいうちは管理の必要はそれほどありませんが、ワーカーの人数が200人、300人と増えたときに、運営管理をどう工夫するかが今後の課題といえます。

働きやすい環境が低い離職率と高品質を生む

海外工場で高い生産性と品質を実現する生産体制を構築するための取り組みと心得について説明します。

① 福利厚生を充実させる

日本同様、アジア諸国でも早期離職は企業にとって大きな課題です。

執筆時点（2023年3月）のベトナムレーミンスン工場のワーカーの人数は28人です。コロナのロックダウンで工場閉鎖を余儀なくされ、その後工場移転もあったため、多くのワーカーが去り結果的に残ったのがこの28人でした。

私の会社に限らず、ベトナムで早期離職を防ぐ方法の一つとして、福利厚生の充実が挙げられます。

社員旅行については、これは自社が独自に行っているというよりは、ベトナムでは当然の福利厚生の取り組みです。ベトナム政府が制度として定めているわけではないものの、年1回の昇給と社員旅行が奨励されているのです。

ベトナムの人たちは、仕事をするうえで人間関係を重要視するという傾向があります。日本では時代遅れな価値観と思われる社員旅行も、ベトナムでは十分雇用推持の対策となるのです。

工場を移転したあとの2022年10月に私は2年9カ月ぶりにホーチミンの地を踏み、

懐かしいベトナムのワーカーと再会することができました。彼ら彼女たちの多くが事業の縮小そして移転後の新工場に帰ってきてくれたときに、今まで積み重ねてきた日々の結果が彼らとの絆としてしっかりとそこにあったことを実感することができたのです。

② 品質の意味を理解させる

アジア新興国のモノづくりの現場では、品質管理以前に、求められる品質のレベルをワーカーが理解できないという問題があります。本物の絵画に触れた経験をもたない人に絵画の魅力は理解できないのと同じように、クライアントが要求する品質を現場が理解できなければ、品質を高めることはできません。アジア新興国のモノづくりでは、求められる品質を具体的に理解させることが実は最も重要なのです。

ただやみくもに管理を強化するのではなく、現場との対話を通して品質とは何なのかとの理解を深められるように日々、指導するようにしています。ラインのリーダーたちと常に話し合いを通して品質に対する理解を共有し、日本企業として恥ずかしくない品質をベトナムの現場で維持させることを目指しています。

③国民性による価値観の違いを受け入れる

日本での経営をそのまま持ち込むことを前提として海外へ進出しましたが、ビジネスを展開するにあたっては、商習慣や国民性の違いによる価値観の違いで大きく戸惑うことがあります。

現在はインターネットの発達や支援団体の充実によって、海外進出をする前にその国の情報や情勢を知ることができます。それらを活用することで、進出に際してのリスクをある程度は回避することが可能です。

しかし、いくらいろいろな状況を想定したとしても、予想を超える問題が次から次へと起こることは海外でのビジネスには付きものです。実際にこの10年、戦争や災害、パンデミックなど予想されていたすべての問題が現実のものとなりました。問題にぶつかるたびに深刻に受け止めて考え込んでしまうタイプの人の場合、海外でのビジネスは難しいかもしれません。

私自身は、海外でビジネスする際の気の持ちようとして、日本の常識と照らして、違っていて当たり前だと考えるようにしていました。

とはいえ、違って当たり前と受け流すのではなく、工場運営に関してはやるべきことに対してはしっかりと指示をし、相手の理解を促すよう心掛けました。例えば日本では考えられないことですが、ベトナムの製造現場ではワーカーがビーチサンダルを履いて仕事をするのが一般的です。しかし当社の工場ではサンダルを禁止し、安全面のリスクに備えて靴を履かせています。

やるべきことを指示する際、注意すべきポイントがあります。それは、なぜそれをしなければならないのかという理由をワーカーが納得するまで説明することです。日本のやり方を半ば押しつけるようにして指示を出すと、現場は反発して管理サイドとの心理的な距離が開きかねません。

サンダル履き禁止に関しても、万が一のけがを防止するための安全対策の一環であると説明し、納得してもらってから靴に切り替えたので問題は起きませんでした。

ベトナム人は勤勉で、ワーカーたちは皆真面目でよく仕事をしてくれます。しかし、日本人だから、ベトナム人だからという違いはありません。日本人にも真面目な人とそうでない人がいますが、ベトナム人も同じです。先入観や偏見にとらわれず、相手の価値観を認めて一人の人間として接する心掛けが大切なのではないかと思います。

海外でこそ日本人としてのアイデンティティーを大切にする

以前、取引先が倒産した際、数百万円の売掛金が回収不能になりました。通常であればその会社に押しかけていきたくなるところですが、父は「まあ、ええやないか。これまで儲けさせていただいたんやから」と一言、つぶやいただけでした。お人好し過ぎるともいえますが、そんな創業者独特のおおらかな経営が、社内外の絶対的な信頼を獲得してきたのもまた事実です。おおらかな経営理念を掲げ、実践してきたのは創業者である父でした。

欧米型の経営にもグローバル化の波が押し寄せ、行き過ぎた成果主義や個人主義の横行により、本来の日本人が備えていた美徳やおおらかさが、欧米型の個人主義に侵食されつつあるのであれば、日本人としてこれほど悲しいことはありません。

成果主義が日本企業に根づかなかったように、儲かれば何をしてもいいというような拝金主義や自分だけ良ければという個人主義は、日本人には似合いません。私の会社が60年以上も続いてきたのは、常におおらかさを忘れず、嘘をついたり、人をあざむいたり、自分さえよければいいという経営はしてこなかったからです。

海外に出れば、その国の慣習に合わせるのは礼儀です。しかし日本人としてのアイデンティティーをもちながら、グローバルな視点を併せ持つという意識が必要になってくると思います。日本がアジアのリーダーとして活躍し続けるためにも、おおらかさをもち続けながら、義を重んじる日本人の精神性を忘れたくないものです。

コロナ禍により海外事業を縮小、国内事業へ注力

2010年を境に、私は企業風土の改革と日本国内での新たなビジネスモデル構築を

いったん諦め、海外事業へと注力することになりました。日本国内の労働力不足を補う目的もあり、東南アジアで日系の大手流通企業からの受注を皮切りに、工場の稼働も本格化させることができました。しかしその矢先にベトナム事業のスタートアップから関わってきた現地社長が急死したのです。体制を整え直しようやく黒字化の目処がつき始めたところへ、今度は新型コロナウイルスの感染拡大により、ベトナムはロックダウンとなり工場は閉鎖され、海外事業は縮小を余儀なくされました。

海外への渡航が制限されるなかで、グループ企業全体の事業の継続を軸に、国内の不採算事業の見直しに着手することにしたのです。その後、新型コロナウイルス感染拡大からはや3年近くの月日が流れ、私自身が国内事業の事業革新を断念してから10年以上が経過していました。この間、私は主に国内事業で世代交代を進めました。象徴的な人事は2021年暮れにベトナム工場から帰国した37歳の営業課長を本社工場の管理職に抜擢したことです。世代交代のポジティブな影響は、驚くべきスピードで特に人事面で表れてきています。中小企業の町工場では、労働力不足は、事業継続の最大の課題と言っても過言ではありません。幸いにも私の会社では製造部門の労働力不足はあまり深刻ではなく、コロナの影響で採用を控えている状況でもありました。それにもかかわらず、製造部門に5人もの20代の社員が新たに加わったのです。

そして2023年には、ポストコロナの最初の年に本格的にベトナムでの事業を再開したいと考えています。今回は、日本の生産ラインを移管することを念頭に、2023年度中の黒字化の実現を見込んでいます。

第4章

新たなビジネスモデルを構築し、第二創業を実現する

組織におけるロールモデルの重要性

私は1988年秋から1992年末までの約4年半の間、アメリカのミネソタ州・セント・ポールにあるセント・トーマス大学（University of St.Thomas）の大学院に留学しました。セント・トーマス大学では専門が教育学でしたので、現地のミドルスクールで実際に教育実習をしたことなども、今考えてみれば、その後の経営者としての人生に大きなプラスであったように感じています。

1992年暮れに帰国して翌年から父の経営する会社で働き始めた当初は此花紙工で現場から学ばせる選択肢もあったようなのですが、当時すでに27歳だった年齢もあり、セールスマンとして印刷部門に配属されます。役職は一般社員でしたが、当時の人事総務部長から、役職を付けるかどうかを父に尋ねたところ、「平社員からスタートさせる」との返答だったことをのちに耳にしました。

私自身は若い年齢のときからほかの会社の下働きとして勤める、いわゆる丁稚奉公の経験はありませんが、一般社員からスタートした私の経験を通して書けば、後継者に経験を積ませるための丁稚奉公や、一般社員と同じ立場で競わせることにはあまり意味があるとは思えません。そもそも中小企業の後継者は、内部昇格でない限り同族での承継が圧倒的に多いことを前提にすると、生まれたときから後継者なのです。私の場合、組織の内部で手本となるべきロールモデルの存在を見つけることができませんでした。

私は、社会人としてキャリアアップを図るごく初期（20代）には、目標となるようなロールモデルあるいはメンター（大企業で取り入れられているメンター制度における相談相手）が必要だと思います。中小企業の組織で後継者以上の経験を積んできた同世代は皆無でしょうし、年齢で一回り二回り上の管理職とはすでにジェネレーションギャップが生じている可能性が高いからです。消去法で考えると、先代が後継者をそばに置き、常時仕事している背中を見せ、時には直接指導することが後継者育成の最良の方法だと思います。

自分のキャリアパスに課した3つのタスク

1994年から私はコノハナでセールスマンとして働きます。大和印刷で無駄な1年を過ごした苦い経験から、コノハナでは、自分のキャリアパスに3つの明確なタスクを設定しました。こうしたタスクを設定した理由は、いずれ経営者となる為に必要な自己の成長をうながすことにありました。設定したタスクは、次の3つです。

①トップセールスマンになる、あるいはトップでなくとも、新規顧客開拓などで成果を上げる
②大きなプロジェクトを少なくとも一つ担当し、成功に導く
③新卒の部下を育成する

①については、同じ部署のA部長を売上面では一度もしのぐことができず、その意味で

はトップセールスマンには結局なれませんでした。A部長で印象に残っていることがあります。社長交代直前の2004年の部署内での新年のあいさつだったと記憶していますが、A部長が、前年は部署内の主導権が自分から大島部長（私）に移って自らの立ち位置に関して苦悩した、と話したのを聞いて困惑したことをよく覚えています。

私にとってはトップセールスマンになるという目標は設定していても、そのこと自体にさほどの意味はなく、自分に設定したタスクをクリアするかどうかだけでした。しかし、A部長にとっては自らのアイデンティティークライシスともいうべき問題であったようでした。

その後、2004年の秋に父より突然社長交代を告げられ、39歳で此花紙工の2代目社長に就任することになります。振り返ってみるとセールスマンとしての仕事に関しては、営業部長時代の35歳前後の時期がやりがいも感じることができ、いちばん楽しかったように思います。39歳での社長就任は、私自身少し早いかなと感じた記憶があります。早いと感じたのは、用意ができていないからではなく、39歳で並み居る古参幹部やベテラン社員をコントロールしていけるかとの思いもあったからです。当時、2004年の日本社会は現在と比較しても、さらに硬直化した年功序列型社会であり、自社のグループの当時の経営陣のメンバーも、父である社長69歳、販売部門A部長が52歳、製造部門B部長が48歳、印刷部門の系列会社の工場長が65歳と私と親子ほど年齢が違う面々と経営チームを組まなければならない状況に追い込まれていたことが背景にあります。

②のタスクは、2000年~2001年にかけて私自身が販売管理システム導入のプロジェクトを主導したことでクリアできました。

③のタスクに関しては、私は33歳のときに初めて部下をもちました。私の部下となったB君は地元の高校を卒業したばかりの18歳でした。私は28歳で営業部へ異動し当時の営業部長の顧客を引き継ぎ売上をそれなりに伸ばしてはいました。そんな私のもとに配属されたB君は生まれ育った地元で高校まで過ごしコノハナに入社してきたことから、当初は学生気分も抜けておらず社会人としての一般常識に欠けていました。あいさつすらも満足にできておらず、正直言ってどう育成すればよいのか、頭を抱えた記憶があります。救い

だったのは彼が少なくとも私に対しては素直であったことです。そこで私はまずあいさつから教えることにしました。朝のおはようございますから、私が発声して本人に繰り返させました。B君は当初遅刻の常習犯でもありましたが、彼だけの責任ではなく、そもそも部門長のA部長が定時以降に出勤する、いわゆる重役出勤をしていた影響もありました。当時の社長である父は当然ながら定時に出勤しており、A部長のような部門長が定時に出勤しないことが当然のごとくまかり通る状況に、そもそも従業員を育成する気があるのか、というのが私の思いでした。今では信じられないことですが、始業時間に出勤しないことをある種の特権と感じているようでした。

私は中小企業の町工場に入社する新卒の若い従業員にはロールモデルとなる良い手本の存在が必要不可欠だと考えています。B君に関してもセールスマンとして仕事に必要な知識やスキルを身につけてもらう前に、一人前の社会人として必要な一般常識を学んでもらうべきだと考えました。あいさつは人として欠かせないマナーですし、常習的な遅刻は、社会人としての信頼を大きく損ないます。当時の私の指導法は、今日と大きく異なり、いわゆるティーチングでした。つまり、こうしなさいと指示をするのですが、指示だけでは十分でないと私は考えました。

そこで私はB君に就業時間のせめて15分前に出社し、私と一緒にコーヒーを飲むことを提案しました。当日の日本経済新聞の朝刊紙面などを話題に朝のミーティングをして、その後ほかの若手社員をも巻き込んでいきます。その結果、当時はB君に限らず遅刻常習従業員が少なからず存在したのですが、若手を中心に15分前出社がしだいに定着していきました。A部長もほかの従業員とともにいつの間にか定時より前に出社するようになりました。

少し早めに出社してミーティングをするという新たに根づいた文化も残念ながら、その後働き方改革関連法案によって現在はある意味時代遅れとなってしまった感はありますが、企業風土を変えていくのには骨が折れるなあと私自身実感する取り組みではありました。

こうした一連の育成の取り組みのかいがあってか、B君は徐々に社会人として必要最低限の常識とマナーを身につけていきました。私はその後、徐々に得意先を伝授していき、

1年を過ぎる頃には自分が担当していた顧客をすべて受け渡しました。私自身は念願の新規開拓に十分な時間を費やすことができる態勢が整ったのです。その後、私はグループ会社のザ・パックが大阪購買部を開設したのに伴い、ザ・パックの営業担当として、社長就任までの約3年間で2億円以上売上を伸ばすことになりました。B君が一人前のセールスマンとして独り立ちして私の従来の顧客を受けもってくれなければ、私が新規開拓に専念することはできなかったわけです。

私は自らのタスク目標に設定していた新規顧客開拓である一定の成果を上げることに成功し、同時に部下の育成にも一定の成果をあげたと言ってよいと考えていました。私はプレーヤーとして、マネジャーとして、自分自身に設定したタスクをクリアすることに成功したわけです。

その後、私は39歳で営業部長から社長に就任します。私は常々、社長に就任すれば純然と社長業に打ち込むべきで、社長とは名ばかりの営業部長兼任のトップにはなりたくありませんでした。社長就任も父から唐突に告げられたために、営業部長としてせっかく新規開拓をしたザ・パック担当を誰にするか考えた挙句、A部長と当時犬猿の仲だったC製造部長に白羽の矢を立てます。A部長に引き継いでもらう選択肢はありませんでした。同時に、A部長を生産管理部に配置換えする人事を断行しました。この人事には、利害が対立していがみ合ってきた営業部と製造部のトップの役割を入れ替えることで、全体最適の意味を理解させる意図がありました。しかし、結論からいうと、この人事が彼ら双方から不興を買い、事実上消滅の憂き目に遭うことになります。私が次に目を付けたのがD製造部長でした。D製造部長はC製造部長の後輩で、中学を卒業して紆余曲折あったあとに入社し、その後、夜学の定時制で高校を卒業した苦労人ではありましたが、素行はお世辞にも良いとはいえませんでした。

しかし、ほかに選択肢もなかったため、なんとかこのD製造部長を営業部長へ任命しました。この人事でも顕著なように当時の此花紙工には真の意味での管理職が存在せず、営業、製造のツートップですら究極のスペシャリスト（専門職）であって、財務諸表を理解しているのは、管理者は父と経理部長ぐらいのものでした。こうした経験が私に、人材育成こそが喫緊の経営課題であるのだと強く実感させることとなったのです。

大企業から管理職を採用する

採用面、とりわけ新卒に関して、名もなき中小企業がブランド力と知名度に勝る大企業のように優秀な人材を確保するのは難しい面があるのは事実です。社長に就任した当時、新卒の採用は現場職も営業職も地元の高校から募っていて、私の最初の部下となったB君も地元の高卒でした。彼の指導を通して基礎学力や躾のされていない一定の水準にない人材の育成の難しさを痛感していたこともあり、地元の大学から採用を募ってみてはどうかと提案したところ、当時の人事の責任者E部長は、此花紙工のような町工場には大卒なんか入ってくるはずがない、などと一笑されたことをつい昨日のように記憶しています。

このE部長は2004年、高騰した人件費が業績の圧迫につながったことの責任を取らされて父から事実上更迭されます。直接の理由は、当時の役員4人のうち総務経理などグループ会社への部門を共有するシェアードサービスを担う部門長であったE部長だけ、表向きは賞与の設定がない、という前提だったのに実はグループの上級役員であったA部長よりも基本給が高く設定されていることが分かったからです。この件に関しては、当時の社長の父にも責任の一端はあると思いますが、父にしてみれば信頼していた部下に裏切られた気持ちだったろうと思います。後継者である私にすれば採用や育成に関わるべき人材がこんなありさまでは後継社長である私の助けにはならないと考え、私のビジョンを共有し、ともに前へと進めてくれる人材の採用を画策します。鉄鋼大手の管理職、大手家電メーカーの管理職を中途採用したもののともに自社に馴染まず短期で退職し、京都の老舗アパレルメーカーで役員経験のある当時57歳のF部長を採用しました。F部長にはたいへん世話になったと今でも感謝しています。F部長は経営再建中だったアパレルメーカーの子会社の整理解雇を指揮したのちに自らも退職し、人材銀行から応募して採用となりました。私は大企業からの採用が短期間で終わった件で懲りていましたので当初は中小企業の風土に馴染めるかしばらく様子を見たあとに営業部長に任命し、当時社内に見当たらなかった本来の管理職としての役割をお願いしました。つまり、

1．戦略策定

2. チームマネジメント
3. 予算管理
4. 人材管理
5. 社外交渉

などです。１～４までは当時の社内では行われておらず、かろうじて５の社外交渉のみ行われている状態でした。そこでＦ部長には採用から人材育成も担当してもらいました。彼はいわゆる団塊の世代で、古参のＡ部長と年齢も近いので当初はどうなるかと心配な部分もありましたが、より年長のＦ部長がＡ部長をたててくれたことで営業部内のバランスもうまくとれたように思います。

Ｆ部長には従業員と私との通訳のような役割もしてもらいました。大卒者の採用では、いわゆる第二新卒の中途採用を募集した結果新たに５人を営業部で採用でき、私は指導育成もＦ部長に一任することにしました。その後Ｆ部長の指導のもと、最初の管理職となったのがＧ君でした。さらに、Ｈ君も一昨日此花紙工の部長代理となり、Ｆ部長の薫陶を受けた２人が、私の新しい経営幹部を支えるとなるに至るのです。新卒、第二新卒としての採用から実に15年の歳月が流れていました。

株式、固定資産、保養所などを売却し、有利子負債12億円を返済

私が社長就任直後の2004年に父はゴルフ場で転倒し入院したことによって創業以来初めて不在となり、私が経営を任されるようになります。その時点で初めて自社の財務諸表や賃金体系を目にすることになりました。その際に有利子負債を約16億円も抱えていることを初めて知りました。有利子負債の多くは設備投資が原因でした。当時のグループの売上（連結でなく合算）は36億円に達していましたがグループ会社7社のうち利益を出している会社は3社のみであり、特に赤字の大きい3社に関しては、どうみても改善の見通しもなく、有利子負債の圧縮は待ったなしの状況であると確信しました。

有利子負債の圧縮は父の全面的な協力のかいもあって早期に4億円にまで減少させることができました。具体的には、完全な年功序列であった賃金体系の見直しと設備投資の凍

結、保有する株式・土地の売却などの施策で、2004年からの3年で12億円を返済しました。当時は完全な年功序列給の恩恵で、グループ各社の平均給与は大企業に匹敵する水準でした。個人的には中間管理職以上の役職者が役割に見合った報酬を得ること自体は悪いことだとは思いませんが問題は年功序列型の賃金体系のほうでした。

設備投資の凍結に関しても、基本的には父がすべてを決めていたので、私がその立場を受け継ぎ、設備の増設や更新を当面しないと役員会で宣言して了承を取りつけました。父は内心苦々しく思っていたと思います。しかし、そもそも社長交代前の、設備投資も多くは、顧客ニーズの多様化により、うまくいったとは言い難い結果に終わっており、より綿密な市場調査によっての設備投資でなければ、また同じ結果、つまり失敗に終わることは火を見るより明らかでした。

有利子負債の削減に大きな効果があったのが、バブル経済期に購入した株や土地、ゴルフ会員権などの売却です。この施策に関しては父のサポートもあり、借入金の返済原資を早急にひねり出せたという意味では大きな効果がありました。

ノー残業デーを実施する

中小企業の永遠の課題は、労働生産性をいかに向上させるかであることに異論はないと思います。父と私、つまり先代と後継者の間の大きな認識の差となっていたのが労働生産性の意味をどう考えるかです。

中小企業の労働生産性がなぜ低いのかについて考えると、

①小ロット多品種生産

②技能を伝承しない職人

③長時間労働礼賛の文化

の3つの要因に行き当たります。

2000年代以降、経済のグローバル化によって、韓国や中国での生産が加速しました。

此花グループでも海外生産に対抗する手段として小ロット多品種生産による受注の確保を営業戦略とし、苦渋の選択であったのですが、当初はそれなりに成果を上げました。

2007年にグループ合算の業績は次のとおりです。

売上高　37億3426万円
売上総利益　24・2%
営業利益率　5・4%
経常利益率　5・1%

当時はグループ会社が販売会社3社、印刷会社2社の計8社といわゆる分社経営の最盛期にあたります。取り扱い商品も商圏もまったく同じであり、グループ会社内でも競合するようになり、その後は1987年に此花紙工の営業部門を切り出す形でスタートしたコノハナも、2002年に売上14億6000万円を計上したのをピークに、その後は徐々に売上も営業利益率も低迷の一途をたどります。

父の不採算事業を閉鎖

此花グループの経営の特徴は、事業が拡大するにつれて部門を切り離し分社化をしていく分社経営でした。此花グループの分社経営が他社の一般的な分社経営と異なるのは、此花紙工は例えば営業部などの別法人とした部門の親会社になるのではなく、株式のごくわずかを親会社が所有するものの、会社としては対等の関係にすることでした。独立採算で、資本関係も希薄であれば、発注する側が優位になります。そのせいもあって、此花グループのヒエラルキーのトップには、販売会社およびセールスマンがどっかりと座っていました。私もセールスマンでしたが、そもそも此花グループの商圏は関東から関西までのごく狭い範囲にとどまります。2004年当時の販売部門の売上はグループ全体で20億円程度であったのにもかかわらず、グループ内で複数の販売部門が乱立している状態でした。顧客を分けているとはいえ、同じグループ内でオーダーの奪い合いになることは目に見えていました。

さらに2020年春からのコロナ禍で海外への渡航が制限されたことをきっかけに、国内グループ企業全体のうち不採算事業の見直しを始めました。コロナ禍以前から、本来なら整理しなければならない事業を雇用維持という大義名分で継続させていたのです。これらの企業の整理が進まなかった責任は父にあります。

コロナ禍の状況でグループ会社からの支援も限界で、私は父を説得し経営に関わるいっさいの委任をようやく受け、2021年の春に、いったんは事業の継続を軸に経営全般をチェックしましたが、やはり継続は困難であるとの結論に達し、該当する会社を整理しました。判断の理由は3つあります。

①債務超過の状態であった
②従業員の就業モラルの著しい低下
③ビジネスモデルの経年劣化

それまで父は不採算と目されている会社の財務諸表を私に見せることを嫌い、工場を訪問することさえ許しませんでした。委任状をもらい初めて財務諸表を見て、想像はしていましたが債務超過の事実を知ることになったのです。父個人から会社に多額の貸付があることも分かりました。特定の従業員による使途不明の経費の使い込みも発覚します。経費の用途については法令違反ではないものの、チェック体制がしっかりしていれば決して通らないような申請も散見されました。そして私は工場を視察した際、機械の上に放置された灰皿が目に飛び込んできました。その後も工場内の荒れた様子を目にして従業員のモラルの低さをまざまざと見せつけられたのです。

ビジネスモデルに関しては、以前からすでに経年劣化が進んでいることは明白でしたが、その事実を父は頑として認めませんでした。しかしコロナ禍という未曾有の状況が、父を説得するのにプラスに作用しました。整理を余儀なくされた会社は、封筒加工業のあまたある下請け・孫請けで競合他社と差別化がほぼ不可能であり、どう考えても賞味期限切れの事業でした。

最も難しかったのは従業員への廃業の告知でした。弁護士に同席してもらい、従業員の雇用をグループ各社で継続することが条件であるという説明とともに廃業する旨を私なりに真摯に説明しました。私のこれまでの経営者としての経験のなかで、この廃業を従業員に向けて宣言した際の心持ちは、決して繰り返してはならない、負の記憶として心の奥底に深く刻まれることになりました。私の父に対する尊敬の念も、この一件を境にさらに薄れていくのを感じざるを得ませんでした。

レガシー　その①

販売管理システムを構築

社長就任前に手掛けたプロジェクトの一つが販売管理システムの構築です。

それまでは手書きの見積書を顧客にFAXし、顧客からもFAXを返信してもらう方法で受発注業務を行っていました。当時すでにインターネットが普及しており、企業間の連絡は中小企業でもEメールが主流になっていましたが、町工場では当時まだまだアナログ業務が多いのが実情でした。営業部門に営業の仕事とはなんですかと聞けば、「見積書をつくること」と平然と言われる状態でした。この見積書の作成＝営業の仕事のすべてであるという考え方は古参幹部が培ってきた御用聞きスタイルの営業活動がベースになっています。私はこのままでは営業本来の仕事であるはずの新規顧客開拓や新たなビジネスモデルへの移行は難しいと考え、社長就任前の2001年から、自身が中心となって販売管理システムを構築するプロジェクトをスタートさせました。販売管理システムの構築を通して御用聞きスタイルのセールスマンから脱却し、提案営業型のセールスマンの育成を目指そうとしたのです。

販売管理システムとは単価と数量を入力すれば見積書が自動作成され、それをEメールで送り、承認が返信されて受注したら情報を作業指示書に流し込むという一連の流れを自動化したシステムです。現在の三菱電機ITソリューションズとともに自動化システムを構築し、当時のITリテラシーの低い従業員にも使えるように既存の手書きフォーマットと同じものを採用しました。

しかし、このとき私の構想は新しいビジネスモデルへの移行を前提としたものでしたが、社内で共有できる存在は皆無で、そういった意味で私は孤立無援の状態でした。私の考えを知ってか知らずか、A部長から「君はなにがやりたいのか、営業ではなく総務の仕事がやりたいのか」と言われたこともありました。

中小企業の経営者は豊富な経営資源に恵まれている大企業の経営者と違い、営業から人事、会計に至るまで、企業経営のすべてを掌握して陣頭指揮を執らなければならない立場にあります。社長業に専念できれば理想なのですが、当時大企業のようにIT（DX）に強い人材がおらず、私がプロジェクトリーダーになるしかない状況でした。ほかの誰かに任せることができればよかったとは思いますが、自社の営業活動全般に問題意識を持っていた私がシステム構築にあたることが、ごく自然なことのように思えました。この販売管理システムは既存顧客の受発注のシステムとして以降、20年経った現在でも稼働していますが、実はそのこと自体も自社の抱える問題の一つとしてとらえることができます。なぜなら20年も同じシステムを改修せずに使い続けているということは、そこに改善意識が乏しいことの裏返しととらえることができるからです。レガシーシステムとは過去の技術や仕組みで構築されているシステムを指す言葉で、つまりは時代遅れのシステムという意味でもあるのです。

レガシー　その②

人事制度の構築

次に私が多くの後継者がまず着手すべきだと考えているのが、創業者時代の人事制度の見直しです。なぜならいまだに多くの中小企業が終身雇用、年功序列前提の制度を採用しており、世代交代の大きな妨げになっているからです。

終身雇用、年功序列は日本が誇る経営システムで、かつての日本企業の人材育成、組織の醸成に大きく貢献してきました。しかし、この終身雇用、年功序列の賃金制度こそが日本の「失われた30年」を招いた最大の要因とされているように、此花紙工においても、労働生産性と年功序列の賃金制度が業績の停滞を招いていることは明らかでした。

私はこの状況を打開すべく給与体系にメスを入れることになります。年功序列で給料が保証されるのではなく、技能や成果に応じて給与配分を調整する成果主義の導入を目指し社長就任当時の２００４年にスタートさせました。

しかし、その後巷間いわれているように成果主義という制度にも多くの欠点がありました。例えば、従業員が成果を上げるために必要な能力向上の支援策を企業側が用意せず、個人の成長については本人の自助努力に頼っていた点です。成果主義では上司も部下も関係なく、能力、スキルの高い者が評価されます。結果、上司が部下の指導を拒むなどの問題も散見されるようになりました。特に現場においては、上司が部下の指導を積極的に行わないことは明らかに自分の立場の保全からの行為であり、この傾向はより職人気質をもった古参社員に見受けられました。

成果主義の導入は、特に中小企業の場合、従来の環境から大きく変わることに従業員から大きな反発があることも想定しなければなりません。新しい人事制度の導入によって、従業員の多くが会社を去るような事態も起こり得ます。実際に大きな反発もありました。しかし、そうしたリスクを踏まえても、年功序列の賃金体系および人事制度の見直しは急務だと考えたのです。

人事制度の改革は結果だけを評価するのではなく、会社側が従業員の能力開発を積極的に支援していくことを目指さなくてはいけません。能力の向上に結びつく外部研修への参加など教育の提供を通じて、成果だけを求めるのではなく長い目で従業員の育成を図ることが大切です。しかし2023年現在、成果主義型の人事制度導入とセットであった外部研修への派遣は結果として残念ながらうまく機能しているとはいえません。その理由は、なぜ学ばなければいけないかということを従業員に理解させられなかったからではないかと考えています。

国内の中小製造業が今後、人口減少によって想定される需要の減少に対応するためには、事業全体の付加価値を高めていくような経営が必要です。それは円安を追い風に輸出型に転換できない多くの国内製造業にもいえます。より高品質で、高付加価値な事業を実現するためには、従業員への教育投資は不可欠です。従業員への教育投資を通して、知識やスキル技能を高めてもらい、自社の企業価値向上に寄与し、その貢献を正しく評価する、それが私の考えていた「人を大切にする経営」のあり方でした。

私の場合、成果主義とはいっても創業者の時代から変わらず続く人を大切にする経営は貫いてきたつもりでした。ただ変わったのは、どのようにして人を大切にするかという点においてです。

福利厚生を重視し、儲かれば一時金で還元することで従業員を経済的に豊かに幸せにしてきた時代から、人事制度の整備とともに教育の機会を提供し、公平に個人の成果を評価する時代への転換です。本当の意味で社会に必要とされる人材を育成することが、これからの時代の「人を大切にする経営」なのです。

年功序列・終身雇用制度の功罪

日本の年功序列・終身雇用の人事制度は、儒教の教えと密接につながっていると私は感じています。例えば創業者を長年にわたり支えてきた番頭クラスの幹部は、創業者と年齢が近く考えが類似していることが多く、後継者はその幹部の下で働くことになります。のちに後継者が事業を継いだ後は、年功序列や儒教的な価値観からも、後継者の側から幹部をマネジメントすることは極めて難しいといわざるを得ません。日本でGAFAのような社会全体の革新となるような企業が現れない理由は、年功序列の人事制度や儒教的な思想がいまだに社会に色濃く存在するところにあると思います。

ＡＩ（人工知能）やＩｏＴ（モノのインターネット）の活用をきっかけとしてＤＸでの事業革新を推進する際、80歳の経営者の助言は有効なのかと問われれば答えはノーです。人権意識を高め多様性を受け入れ、従業員にとって働きやすい環境を提供する際に70歳の古参幹部の存在は必要かという問いにも答えはノーです。今後30年というスパンで企業経営を考えるのであれば、一定の年齢を過ぎた従業員は新しい人材に速やかに交代させて新陳代謝を促すことが企業の生き残りのため必要不可欠な条件だと、私は自分の経験から学びました。ダグラス・マッカーサーの言葉を借りれば、「老兵は死なず　ただ消えゆくのみ "Old soldiers never die, they simply fade away."」であり、役割を終えたものは表舞台を去るだけなのです。

創業者はもとより古参幹部に退任を迫ることすら難しいのが多くの中小企業における実情だと思います。また年金の受給開始年齢がさらに引き上げられれば70歳まで働くことも現実味を帯びてきます。そのためにリカレント教育の機会を与えて学び直してもらい、

ＤＸや多様性の時代に対応してもらえれば、雇用を守ることができます。しかし、そうした教育の機会の提供は本来企業ではなく、行政の責任ではないかと思います。

父も87歳となり、めっきりと老いが進み、もはや経営に口出しすることはなくなりました。ようやく本当の意味での事業承継を成し得たのだと感じています。私自身は、本当の事業承継までに19年という年月を費やしてしまいました。古参幹部や社員、先代との対話を重視し、なかなか意思の疎通の難しい従業員に対しても教育や啓蒙により話せば分かり合えると信じていたのです。しかし、私は間違えました。当時の私はただ家族や社員の期待に応えたい、家業を持続し発展させたいという純粋な思いでした。その思いが強過ぎるあまり、ごく当たり前の冷静な判断ができていなかったように思います。仮に冷静な判断ができていたとして先代や古参幹部を切り捨ててでも、自分の改革を推し進めるだけの覚悟も勇気もなかったことも自覚しています。しかし、不思議と悔いはありません。ここまで来るのに時間がかかり過ぎたことについては若干後悔していますが、私にはまだまだ時間が残されていると感じているからです。

しかし一方で、家族から家業の承継を望まれながら事業の将来性などを危惧し承継を迷っている人も少なからずいると思います。事業承継して自分で何かをスタートアップしたい気概があるのなら、承継後は事業の継続のための新陳代謝につながるような新事業を立案し、そのために必要な人材を採用することにまずは注力すべきです。事業の核となってきた家業は継続しつつ、最初は新事業をコア事業の収益を脅かすことのない程度の出資に抑えることが重要です。じっくりと数年をかけて世代交代を進め、時がきたら思い切って受け継いだ家業をスクラップ&ビルドすればよいのです。自分で一から始めるよりは、引き継いだ家業をベースに再出発するほうが、時間を有効に使えるという大きな利点があります。

事業承継の妨げとなる古参幹部は、創業者とともに退任してもらい、もし先代と番頭格の古参幹部が2人同時に事業承継のタイミングで退職することで混乱が生じるのであれば、後継者との一定の伴走期間を経た後に退任してもらえばよいだけです。円滑な事業承継を実現したうえで代表権の返上や株式の譲渡だけでなく、経営にいっさい口を挟まない取り決めをしたうえで、相談役や顧問として一定期間会社に籍を置くようにすることが望ましいと考えます。かつての私自身が後継者の立場にあった経験からいうと、承継時にこうした条件が叶えられないのであれば、少々過激かもしれませんが、その後に待ち受けるさまざまな困難を考えると承継すべきではないのかもしれません。

やりたくない事業を継ぐなら、自分で興せ

後継者候補が血を分けた子どもの場合には、幼い頃からずっといずれ親の会社を継ぐ立場であると事あるごとに認識させることができます。子どもは、自分は後継者なのだという前提で両親や親戚、従業員からの期待を負わされ、目の前に敷かれているレールと自分の進みたい道との狭間で葛藤に苦しむのです。

学校を卒業して社会に出ると、後継者として会社を継ぐかどうかという具体的な選択の時期がやってきます。親の会社にすぐ入社するのか、社会勉強のために外の空気にふれるのか、私のように海外留学するのか、会社を継がないことにしてまったく異なる仕事に就くのか、その人その人によってさまざまです。

親の会社の事業に将来性はあるのかという問題もあります。

事業承継の時期を迎えている中小企業の多くが創業した高度経済成長期とは違い、現在は日本経済全体が少子高齢化や人口減少によって急激に縮小しています。継いだ会社はビジネスモデル自体がすでに経年劣化し、業界全体も斜陽産業となっているかもしれません。

後継者が創業者の会社を継がない選択をした場合、会社は後継者問題を抱えることになります。自分の子どもに継がせる選択肢を失った創業者は、親類縁者や従業員へバトンタッチするか、M&Aで会社や事業を売却するか、廃業の道を選択することになります。

一方、自分の親の会社を継ぐという選択をしたとします。継いだ限りは会社を存続させなければなりません。しかし多くの場合、私が直面したのと同じように今の時代のさまざまな課題や抵抗勢力と向き合うことを余儀なくされ、会社の存続・発展のために孤軍奮闘することになります。

それでも、後継者は家業を守るだけでなく、時代に合わせて、時には親が築き上げてきた事業を大きく見直す勇気も求められます。そこからが本当の意味で後継者としての経営手腕が問われることになるのです。

「よくこの会社を継がれましたね」

これは私が社長に就任した当時、ある銀行の支店長から言われた一言です。多くの不採算事業と16億円もの借金を抱え、事業のマーケット規模もそれほど大きくない会社を継いでさぞ大変なことだ、そんな意味だったのかと思います。

今になって実感していることですが、そもそも事業は興すもので、継ぐものではありません。

経済が右肩上がりの成長を続けていた時代に創業した先代の事業を継ぎ、本格的な人口減少に入った現在に、以前と同じビジネスモデルで経営を続けていくことにはどう考えても無理があります。事業の継続のみを目指すのであれば、既存のビジネスモデルを維持すれば事業をある程度にまで縮小していくことも可能でしょうが、事業の縮小とは、つまり従業員の雇用を脅かすことにもつながります。これは、経営者としては、苦渋の決断です。私はそんなつらい思いをしてまで会社を継ぎたくはありませんでした。

面白くない事業を継ぐくらいなら、新たに事業を興したほうがどれほど楽しいかということを私自身、海外事業を始めたことで気づかされました。

社長に就任してからの経営を振り返ってみると、父や古参幹部の顔色をうかがうことも多く、社長という立場とは裏腹に、これまで企業経営をあまり楽しいと思ったことはありませんでした。親の会社をつぶしてはいけないという使命感に駆られ、会社や従業員を守るために国内での事業継続に孤軍奮闘し、社内の人材を戦える集団に変えるために、必死に彼らの意識を変えようと取り組んできました。

一連の取り組みを振り返ると、会社を守ろうという思いが強過ぎるあまり、経営の舵取りに関する発想が柔軟ではなかったと感じています。私がこの会社に入ったのはバブル経済が崩壊した直後で、社長に就任したのは日本の人口が減少に転じたのとほぼ同時期です。冷静に考えれば、この先内需が先細り、国内のみに軸足を置いて会社の存続・発展を目指すことが難しいのは想定できていました。

しかし、今になって冷静に考えるとその危機感以上に会社を守らなければならないという信念が勝り、正しい経営判断ができなかった部分があったのかもしれません。最終的に海外進出を決断したのは、リーマンショック後の景気悪化を受けてのことであり、今から考えるとギリギリのタイミングでした。

私には海外事業にチャレンジするだけの下地が実はあったのです。海外での留学経験があり、少なからず国際感覚も身につけていたつもりですし、何より好奇心が旺盛です。国内ではやれるだけやったので、決して後悔はしていませんが、残念ながらもっと早く決断できたのではないかと思うことも多く、遠回りをしたことだけは確かです。コロナ禍で50代半ばの経営者として脂の乗った時期をムダにした今だからこそなおさらその思いが強いのも事実です。

新たなビジネスモデルを構築することは後継者の務め

創業者から事業を承継した後継者にとって、先代の経営を壊す、あるいは否定し前へ進むことは後継者が必ずクリアしなければならない最初の大きなハードルとなります。

多くの場合、創業者にはカリスマ性があり、その経営は絶対的でアンタッチャブルなものとされています。特に同族経営におけるオーナー経営者の場合はその傾向が強いです。後継者には、自社のビジネスモデルを時代に合う形へイノベート（革新）し、事業を存続させることが求められます。

例えば此花紙工は創業60年を超える暖簾の力で、営業が積極的な活動をしなくても受注が可能な角底紙袋製造業というニッチな業界に属しています。競合が極めて少ないニッチな業界にいたことが、今から考えれば事業を革新することを迫られなかった意味で、不幸だったといえるかと思います。

ニッチは隙間という意味に加えて、なくてはならないという意味をもっています。社会に必要とされることが企業存続の条件であるとすれば、此花紙工はすでにそれを満たしていることになります。自社のケースはまさに特異で日本に競合が数社しかなく、その意味ではスーパーニッチと呼んでもいいほどです。

しかし、課題は今後も必要とされる企業であり続けられるかということでした。父親である先代は私の祖父から経営手法を受け継ぎ、会社が大きくなるにつれて部門を分社化し、小規模企業集団によるグループ会社経営を推し進めてきました。複数の会社を経営することなるため管理コストは増える一方、事業部や扱う商材ごとに経営戦略をスピーディーに構築したり、将来を嘱望される従業員に子会社の経営を任せたりすることが可能です。経営戦略面、人材育成面で分社経営は当時一定の効果が見込めたのです。

さらに印刷会社を買収するなどＭ＆Ａにも力を入れ、ピーク時にはグループ会社は７社を数えました。従業員数は総勢１３０人以上に膨れ上がっていましたが、各社は最大でも40～50人、少ない会社は10人ほどの規模で、各製造部門の会社は典型的な町工場でした。

しかし、分社経営は高度経済成長期のレガシーともいえるもので、全社が足並みをそろえて利益を確保できなければ、業績のふるわない会社がグループ全体の足を引っ張ることにつながり、グループ全体の業績を悪化させかねません。

グループ会社全体の経営の見直しをスタートして3年目に、製造部門会社と販売部門会社の統合を行いました。創業者が長年にわたり進めてきたグループ経営という経営手法を壊し、創業者の経営でさえも決してアンタッチャブルではないことを示したのです。

しかし、その後も父は統合を解消し、元へ戻すように私にせまりました。当時の父の年齢はすでに80代の半ばであり、今思えば加齢によって正しい経営判断ができなくなっていたのだと思います。

ワンマン経営者の加齢による大暴走

２０２２年の暮れ、父は初期のアルツハイマー型認知症と診断されました。ここ1～2年難聴が進み、補聴器なしでは会話ができなくなっていたことに加えて、ここ数カ月物忘れがひどくなっていたこともあり、精密検査を受けた結果の診断でした。思い返せば、過去数年の経営に対しての的外れな発言も、加齢による判断の誤りだと考えれば合点がいくことも多く、創業者だからといえ、代表権を返上したあとも、何かと経営に口出しする父の暴走を止められなかったことを今さらながら悔やむ日々です。

どんなに優秀な経営者にも、老いは訪れます。父の暴走は、経営者の責務として、老いて判断を間違う前に引退しなければならないという大きな教訓となりました。

今57歳の私にも、年齢相応の老いが徐々にではありますが進んでいます。父がアルツハイマー型認知症と判断されたとき、80歳を超えると大多数の人が認知機能の低下直面すると、父の担当医から聞かされました。いつの頃から加齢による老いが、父の発言に影響したのかは分かりませんが、父の創業者としての成功体験が、古参幹部とともに後継者である私の経営戦略の前に立ちはだかりました。海外事業への反対がその最たるものです。下請けビジネスモデルからの脱却、そして労働力の確保という、将来を見据えての経営課題への取り組みのために、海外事業へ投資しておくことが必要だと説いても、彼らは納得しませんでした。その際に、父や古参幹部の拠り所となったのが、過去の成功体験です。そもそも過去の成功に拘泥としている彼らに、〝これからの事業〟に口を出す権利はないはずでした。

思えば、父はエゴイスティックな人間でした。特に近年は、過去の成功体験を語るばかりで、言葉は厳しいですが、〝老害〟でした。40年以上にわたるワンマン経営者として過ごした時間が、父の人格をそのようにしてしまったのだと思います。また、父には〝任せる勇気〟がありませんでした。社長交代後も、「会長」という立場で、会社を意のままに動かそうとしました。実は自社株の贈与はつい昨年のことで、それまでは株式の過半数を保有したままで、私への権限委譲を拒み続けました。私との対立が生まれたのは、こうした事情があったのです。

以下、私が社長交代後に、味わった父との確執で感じたことが、うまく纏められています。

『親から子へ　失敗しない事業承継　5×7つのポイント』（大石吉成、ギャラクシーブックス、2014年）参照

①父親の価値観を押し付ける

②父親は経験値ですべてを判断する

③親への感謝を強要する

④息子に過度な期待をする

⑤基本、息子を認めていない

⑥しょせん、息子は俺のことはわからないと言う
⑦俺の背中を見て理解しろと思っている

父は、成功体験に基づいた価値観を、私にひたすら押し付けました。そんな父の姿から、教訓となるのは、私自身の引退の問題です。父のように、加齢により適切な経営判断ができなくなる前に、引退すべきであると考えています。もちろん、後継者の問題もあります し、父や古参幹部の反対やコロナ禍で、停滞した海外事業を軌道に乗せると言う大きな課題は残っていますが、可能な限り早期に、後継者へバトンを渡したいと考えています。

スムーズな事業承継のために大切なこと

私も57歳となり、そろそろ後継者への事業承継を考える年齢になりました。事業をスムーズに承継するために必要なのは時間の余裕です。私は２００４年に社長就任後、父で

ある先代との関係性で苦労し半ば逃げるように海外事業へと傾倒し、その後コロナ禍となり再び国内での事業革新に着手しようとしています。なぜ今なのか？　といわれれば、19年前に私の前に立ちはだかった抵抗勢力の多くが引退したり、この世を去ったりしたからにほかなりません。また私が社長交代後に採用から手塩にかけて育成した人材が、組織の中核を占めるようになったことも大きなポイントです。ここまで来るのに当初想像していた以上に時間がかかりました。私が次期社長へ事業をバトンタッチするときには、後継者がやりたい事業を、求められれば伴走者として軌道に乗るまで見守りたいと考えています。可能であれば60歳までに後継者を指名し、早ければ65歳、遅くとも70歳までには事業承継を終わらせたいと考えています。その際には後継者の経営にはいっさい口を挟まないとも心に誓っています。

私は先代に、経営について直接何かを教えてもらったり指導してもらったりした経験はありません。先代は言葉で何かを言う代わりに、背中を見て覚えろという考えだったと思います。

家業を継ぐことは家族の思いを継ぐことであり、誰しもが家族の期待に応えたいと思っているはずで、同族承継自体は悪いことではないと思います。けれども創業者や後進に道を譲る立場の側は、後継者が事業を革新し新しいことを始めようとする際に、過去の経験を基に決して口を出すべきではないと思います。ロシアのウクライナ侵攻や新型コロナウイルス感染拡大などが経済にもたらした影響をみても、ＤＸやダイバーシティ（多様性）の必要性が叫ばれる今の時代の最適解に関しても、過去に経験したことのない事象が頻発している今のＶＵＣＡの時代にデジタルネイティブですらない経営者の過去の成功体験から導き出せる答えはそう多くはないといわざるを得ません。

一定の年齢を過ぎた経営者は、個人差はもちろんありますが進取の気質を忘れ過去の成功体験にしがみつきがちです。そんな状況になれば即刻トップの座を離れるべきだとさえ私は思います。しかし、非上場の中小企業であって、ましてや規模の小さい町工場では、経営者の進退は経営者本人だけしか決められないことが事業承継が進まない理由の一つとなっているのです。

中小企業の後継者は海外に出よ

親の会社を継いだ中小企業の後継者で、今、ビジネスモデルの革新など自分なりの経営を模索している人がいるならば、私は一度海外に目を向けてみてくださいと迷わずアドバイスします。もちろん急速な円安が進む今、海外展開がしやすい業種、そうでない業種があります。でも少しでも可能性があるのなら、海外も一つの選択肢とすべきです。中小企業の経営者の多くがその必要性を感じながら一歩踏み出せていないのが海外展開の現状です。

国内から海外、とりわけ経済発展著しいアジア新興国を日本的な目線で見ると、ビジネスチャンスがまだゴロゴロと転がっているのが分かります。ぜひ自分の足で一度東南アジアの地を歩いてみてほしいです。

例えばベトナムの街を歩けば無数のバイクが道を埋め尽くし、けたたましいクラクションの音が鳴り響いています。喧噪に身を置けば、経済発展の息吹を感じないわけにはいきません。

1965年生まれの私と同年代の経営者であれば、高度経済成長期のベトナムに足を運ぶことで、まさに昭和のあの頃の日本の風景に出会えるのです。伸び盛りの時代の経営を、もう一度、経験できるのがアジア新興国における経営の醍醐味といえます。

海外に進出するにあたってはコンサルタントなど他人の情報を鵜呑みにするのは危険です。経済指標に関しても、新興国の発展のスピードは想像をはるかに超えています。マニュアル本に書かれている内容は瞬く間に陳腐化してしまいます。

結局は現地を自分の足で歩き、自分の目で見て、耳で聞いた情報を判断材料の決め手にするしかないのです。海外進出の決断をするのはあなた自身であり、コンサルタントが判断ミスの責任を取ってくれるわけではありません。

経営に行き詰まりを感じている後継者はまず視察でも旅行でもいいので、東南アジアの地に足を踏み入れてほしいと思います。現地の風を肌で感じることができれば新たなアイデアも生まれてくるでしょうし、日本では見いだせなかった希望の光が見えてくるはずです。

結果として、私は迷いなく家業を継いだわけですが、経営改革の模索を続け、最終的に海外の事業に希望の光を見いだしました。
だからこそ、中小企業の後継者は東南アジアに出よと強くいいたいのです。

海外での第二創業で新たな夢に挑戦せよ

中小製造業の経営は規模の拡大か、事業の安定を目指すのかによって大きく変わってきます。父の時代に此花紙工は印刷会社を買収するなどM＆Aにも力を入れ、ピーク時には、グループ会社は7社を数えました。従業員数は、総勢１３０人以上に膨れ上がっていましたが、各社は最大でも40〜50人ほどの規模であり、各製造部門の会社は典型的な町工場でした。私が社長を引き継いでからも分社経営の考えを頑なに守り続け、私にもそうするように求めてきました。

創業者は事業の安定が何より社員のためであると考えていました。会社を潰せば、創業者を信じてついてきている社員や仕入先など多くの人に迷惑をかける、というのが口癖でした。ゆえに、私が海外展開を推進し始めた際には、事業を拡大したいのは経営者のエゴで、それが会社を潰すことにつながるとの理由で大反対されました。それに、国内事業に行き詰まりを感じていた私とは違い、どこに根拠があったのか分かりませんが創業者はまだまだ国内事業は安泰だと考えているようでした。この認識の違いは最後まで埋まりませんでした。私はこの認識の差こそがすでに成し遂げた人とこれから何かを成し遂げようとする人の差なのではないかと感じています。

しかし私は、規模の拡大を目指して海外進出を決意したわけではなく、国内市場が縮小するなか、新たなビジネスモデルの構築と労働力の確保を念頭に生き残りをかけて海外の新たな市場の開拓へ打って出た、ただそれだけの理由だったのです。

私の考える経営の目的は継続です。この継続という目的はいささか志が低いように自分自身感じていますが、2代目として親からの刷り込みも多分にあるのかもしれません。

そして、継続のための選択肢として海外進出を選択しただけなのです。しかし、いくら説明しても理解はしてもらえませんでした。その父も寄る年波には勝てず米寿を迎える今年ようやく、経営に口出しをしなくなり、私は経営者としての自分らしさをようやく取り戻すことができたように思います。

会社という器を活かし、新たなビジネスモデルを創れ

後継者が家業を継ぐことで得られるアドバンテージは会社という器を継ぐことで得られる信用力とブランド力です。

創業者はゼロから会社をつくり上げていかなければなりません。会社の信用、個人の信頼をゼロから醸成していかなければならないのです。

その点、親の会社を継いだ後継者は、創業者が苦労して積み上げてきた会社の信用を継承できる強みがあります。長年にわたって地域に根差して商売してきた信用はなにものにも代えがたい財産です。会社に対する信用という財産を承継できることで、息子であるというだけで個人としての信頼も当初からある程度は担保されます。それだけの会社を残してくれた先代に対して、後継者はそれだけで感謝しなければならないのかもしれません。

さらに長年にわたる事業を通じて会社として築き上げたブランド、つまり暖簾の力も、少なくとも属する業界で確立されていれば、さらに大きなアドバンテージとなるはずです。信用とブランドを新事業の礎にできるメリットは計り知れません。後継者は無理に事業を継ごうとするのではなく、会社という器を最大限に活用し、新規事業、新たなビジネスモデルの創造にチャレンジすればいいのです。

一歩を踏み出す勇気を与えてくれるのが夢の力

かつての日本の高度経済成長期は、貧しいなかでも、誰もが夢を描けた時代でした。戦後の焼け野原からの復興を目指し、人々は希望に満ち溢れていたはずです。一方、現在の日本は夢を描きにくい時代です。しかし、夢が描きにくい時代だからこそ、経営者は社員に夢を語る必要があります。

強力なリーダーシップを発揮して組織を牽引できるタイプの経営者であれば、必ずしもそうする必要はありません。しかし組織一丸となって全員経営を目指していこうとした場合、社員の心を束ねる何かが求められます。その何かこそが、経営者の語る夢であり、経営ビジョンとなるのです。

かつてペプシ・コーラの社長として、コカ・コーラからマーケットシェアを奪うことに成功したジョン・スカリーは1983年スティーブ・ジョブズの誘いでアップルのCEOに就任します。その際、ジョブズは長い間うつむいたあとスカリーの目をまっすぐ見て「このまま一生砂糖水を売り続けるつもりか？　それとも世界を変えてみようと思わないか？」と口説いたといいます。その言葉がスカリーのアップル入社の決め手となったそうです。

経営者が夢を掲げ、その夢が従業員を突き動かせる限り、発展は可能です。

経営者一人の力は限られていますが、従業員一人ひとりの力が掛け合わされれば大きなパワーとなります。

一人の100歩より、100人の一歩です。その一歩を踏み出す勇気を与えてくれるのが夢の力なのです。

おわりに

拙著『「家業」を継いでも「事業」は継ぐな』を上梓したのは9年前の2014年でした。当時は海外の事業をスタートアップした時期にあたり、毎週のように海外を飛び回っていました。生産拠点のあるベトナムのホーチミンとシンガポールを中心に東南アジア各国を訪問し、精力的に新規顧客を開拓している時期でした。当時のドルに対する円レートは1ドル70円台でしたが、2020年コロナ禍以降、2022年10月水際対策の緩和に伴いようやくシンガポール、ベトナムへ出張した際のドル円レートは1ドル＝約150円であり、まさに隔世の感があります。

この9年間で中小企業、とりわけ中小製造業をとりまく環境は大きく変化しました。働き方改革関連法案の施行により、中小企業も含めた企業の長時間労働に対する意識は大きく様変わりしましたし、新型コロナウイルスの感染拡大は、リモートワークの導入を例に挙げるまでもなく、働き方そのものを大きく変化させました。また、企業における人材育成の手法やジョブ型の人事制度も、人権意識の高まりとともに大きく変化し、経営に関するすべてがこの9年間で大きく様変わりしたように思います。此花紙工も２０２１年暮れに父の時代の最後の幹部社員が勇退したのを機に、世代交代が大きく加速し、９年前とは社内の陣容も顔ぶれも大きく変わりました。

『「家業」を継いでも「事業」は継ぐな』は事業を継いで10年の区切りに著した書籍です。出版時には従業員や関係各社に対しても出版の告知すら積極的にはしませんでした。なぜなら、古参幹部がまだ多く在籍していた9年前に、本に記されている内容を読ませることは不要な誤解を生むと想定されたからです。今回の改訂版出版にあたって、ようやく世代交代が実現しつつある今、当時の思いをいくぶん客観的に眺めることが可能になったこともあり、積極的に私の思いを書き記したいと考えました。旧版では父や古参幹部への遠慮もあり幾分トーンダウンして書いた内容に、今だから書けることを盛り込んで増補改訂し出版しました。

改めて、海外への留学を含め、教育の機会を与えてくれた両親には、深く感謝していま す。世襲には、世間ではいろいろと批判はあるようですが、親が子を、子が親を思う気持ちが、世襲のベースにあるとすれば、世襲を否定しづらいことも事実なのではないでしょうか。私は、会社を継いだことに一片の悔いもありません。

しかし、自分の息子にこの事業を継いでほしいかと聞かれると、答えは複雑です。継いでくれればうれしくないはずはないですが、同時に苦労するであろうことも想像できます。自分の息子には、自分のしたいことをさせてやりたい、とも思います。しかし、もし、彼が継ぎたいと決断したなら、せめて自分が通り抜けなければならなかったようなことはさせたくありません。

内部昇格で後継者を選ぶ場合はなおさらですが、私が後継者に後を託す際は、①組織をあらかじめ世代交代させておくこと、②前社長が古参幹部を伴って退場するか、少なくとも代表権を返上しステップダウンすること、の2つの条件が、事業承継に不可欠だと考えます。

高度経済成長期に創業した親の会社を引き継ぎ、低成長時代の現在に経営を余儀なくされた後継者――本書は、そうした境遇に置かれた後継者に向けて記しました。

これまでの日本経済の発展を支えてきたのは、紛れもなく中小製造業です。後継者が親の事業をそのまま引き継ぐのではなく、自ら事業を興す気概で会社の成長を目指す。本書が、中小製造業の後継者にとって、経営の舵取りのなんらかのヒントになれば幸いです。

大島伸夫

2023年4月

【著者プロフィール】

大島伸夫 Oshima Nobuo

此花紙工株式会社代表取締役社長

1965年大阪生まれ。株式会社コノハナ代表取締役社長。大学卒業後、アメリカのミネソタ州・セント・ポールにあるセント・トーマス大学に留学しMA（Master of Arts）を取得。帰国後、1993年に此花紙工に入社。2004年代表取締役となる。2012年10月にベトナム・ホーチミン市郊外に現地法人KONOHANA Co., LTD. Vietnamおよび東南アジアの営業拠点としてシンガポールに現地法人KONOHANA GLOBAL PACKAGING PTE. LTD. を設立。海外での現地受注、現地生産体制を確立する。

本書についての
ご意見・ご感想はコチラ

新装改訂版
「家業」を継いでも「事業」は継ぐな

2023年4月27日　第1刷発行

著　者　　大島伸夫
発行人　　久保田貴幸

発行元　　株式会社 幻冬舎メディアコンサルティング
〒151-0051　東京都渋谷区千駄ヶ谷4-9-7
電話　03-5411-6440（編集）

発売元　　株式会社 幻冬舎
〒151-0051　東京都渋谷区千駄ヶ谷4-9-7
電話　03-5411-6222（営業）

印刷・製本　中央精版印刷株式会社
装　丁　　重原 隆

検印廃止

Printed in Japan
ISBN 978-4-344-94132-8 C0034
幻冬舎メディアコンサルティングＨＰ
https://www.gentosha-mc.com/